COMO FAZER ALGUÉM GOSTAR DE VOCÊ em 90 segundos

FAÇA CONEXÕES INSTANTÂNEAS E SIGNIFICATIVAS

Universo dos Livros Editora Ltda.
Avenida Ordem e Progresso, 157 – 8º andar – Conj. 803
CEP 01141-030 – Barra Funda – São Paulo/SP
Telefone: (11) 3392-3336
www.universodoslivros.com.br
e-mail: editor@universodoslivros.com.br

NICHOLAS BOOTHMAN

AUTOR DO BEST-SELLER
COMO CONVENCER ALGUÉM EM 90 SEGUNDOS

COMO FAZER ALGUÉM GOSTAR DE VOCÊ *em* 90 *segundos*

FAÇA CONEXÕES
INSTANTÂNEAS
E SIGNIFICATIVAS

São Paulo
2025

Grupo Editorial
UNIVERSO DOS LIVROS

Diretor editorial: Luis Matos
Gerente editorial: Marcia Batista
Produção editorial: Letícia Nakamura e Raquel F. Abranches
Tradução: Daniela Tolezano
Preparação: Ricardo Franzin
Revisão: Abordagem Editorial e Alessandra Miranda de Sá
Diagramação e projeto gráfico: Futura Editoração
Capa: Renato Klisman

Dados Internacionais de Catalogação na Publicação (CIP)
Angélica Ilacqua CRB-8/7057

B715c
Boothman, Nicholas
Como fazer alguém gostar de você em 90 segundos / Nicholas Boothman ; tradução de Daniela Tolezano. -
– São Paulo : Universo dos Livros, 2021.
208 p.

ISBN 978-65-5609-095-5
Título original:
How to make people like you in 90 seconds or less

1. Técnicas de autoajuda 2. Comunicação interpessoal 3. Relações humanas I. Título II. Tolezano, Daniela

21-1203 CDD 158.2

Goste você ou não, as pessoas decidem como se sentem em relação a você nos primeiros 2 segundos em que te veem, ou te escutam, caso seja ao telefone. Se elas gostarem de você, de maneira inconsciente tenderão a ver o melhor de você e a buscar oportunidades de dizer "sim". Se elas não gostarem de você, acontece o oposto.

Escola de Ciências da Saúde de Harvard

Para Wendy, é claro.

Agradecimentos

Que peça gloriosa de sincronicidade. Meus mais profundos agradecimentos vão para: minha amiga linda Kerri King, que ordenava: "Escreva! Agora!". Meu anjo da guarda, Dorothea Helms, que disse: "É hora de encontrar um grande editor para você". O carismático editor de livros Peter Workman (*in memoriam*), que coloca todos os seus sentidos em um livro e é cercado pelos melhores talentos que pode encontrar. A sua editora surpreendente, a saudosa Sally Kovalchick, que impressionava com a habilidade de inalar um manuscrito e exalar um livro finalizado. Margot Herrera, que assumiu o lugar de Sally e tem uma habilidade excepcional de jogar tudo para o alto e fazer com que caia no lugar certo, no momento certo. E para a minha filha mais nova, Pippa Boothman, que transformou este livro em um curso de treinamento de 90 minutos para adolescentes e o ofereceu a milhares de jovens pelo continente, além de ter contribuído com seu talento para esta nova edição.

Vocês são a prova viva de que outras pessoas são nosso maior recurso.

Sumário

Parte II — O Período de Afinidade de 90 Segundos

Parte III — Os Segredos da Comunicação

Prefácio

O "segredo" do sucesso não é muito difícil de descobrir. Quanto melhor você se conectar com outras pessoas, melhor será sua qualidade de vida.

Descobri os segredos de me relacionar bem com as pessoas pela primeira vez durante minha carreira como fotógrafo de moda e publicidade. Fosse trabalhando com uma única modelo para uma página na *Vogue* ou com quatrocentas pessoas a bordo de um navio para promover um cruzeiro norueguês, era óbvio que, para mim, a fotografia era mais sobre me ligar às pessoas do que acionar a câmera. Além disso, não importava se a sessão de fotos estava acontecendo no lobby do Hotel Ritz em São Francisco ou em uma cabana caindo aos pedaços em uma montanha na África: os princípios para estabelecer uma afinidade eram universais.

Desde que consigo lembrar, eu sempre tive facilidade para me relacionar com as pessoas. Poderia ser um dom? Será que há algo como um talento natural para se relacionar bem com as pessoas? Ou é algo que aprendemos pelo caminho? E, se pode ser aprendido, pode ser ensinado? Eu decidi descobrir sobre isso.

Eu sabia, dos meus 25 anos fotografando para revistas do mundo todo, que atitude e linguagem corporal são fundamentais para a criação de uma forte impressão visual – anúncios em revistas têm menos de 2 segundos para atrair a atenção do leitor. Eu também sabia que havia uma forma de usar a linguagem corporal e o tom de voz para fazer com que completos estranhos se sentissem confortáveis e cooperativos. A terceira coisa que percebi foi que algumas poucas palavras bem escolhidas poderiam suscitar expressão, humor e ação em praticamente qualquer pessoa. Com esse conhecimento, decidi investigar um pouco mais.

Por que é mais fácil se relacionar bem com algumas pessoas do que com outras? Por que posso ter uma conversa interessante com uma pessoa que acabei de conhecer, enquanto outros podem considerar essa mesma pessoa chata ou ameaçadora? Claramente, algo deve acontecer em um nível além de nossa percepção, mas o quê?

Foi nesse momento de minha jornada que descobri o trabalho inicial dos doutores Richard Bandler e John Grinder, da Universidade da Califórnia em Los Angeles (Ucla), sobre um tema com o complicado nome de programação neurolinguística, abreviado como PNL. Muitas das coisas que eu vinha fazendo intuitivamente como fotógrafo, esses dois homens e seus colegas haviam documentado e analisado como "a arte e a ciência da excelência pessoal". Entre uma montanha de novos conhecimentos, eles revelaram que todo mundo tem um "sentido favorito". Descubra esse sentido e você terá a chave para o coração e a mente de uma pessoa.

Conforme meu caminho se tornava mais claro, deixei minhas câmeras de lado e resolvi me concentrar em como as pessoas funcionam por dentro e o que aparentam por fora. Nos anos seguintes, estudei com o dr. Bandler em Londres e Nova York, e obtive uma licença como Mestre em PNL. Estudei Padrões de

Linguagem Irresistível nos Estados Unidos, Canadá e Inglaterra, e mergulhei em tudo que tinha a ver com a parte do cérebro relacionada à conectividade humana. Trabalhei com atores, comediantes e professores de teatro na América e com contadores de história na África para adaptar treinos de improvisação em exercícios que aprimoram as habilidades conversacionais.

Desde então, passei a oferecer seminários e palestras em todo o mundo, trabalhando com todos os tipos de grupos e pessoas, de equipes de vendas a professores, de líderes empresariais que pensavam que sabiam de tudo a crianças tão tímidas que as pessoas achavam que elas eram burras. E uma coisa ficou bem clara: fazer com que as pessoas gostem de você em até 90 segundos é uma habilidade que pode ser ensinada a qualquer um, de maneira fácil e natural.

Cada vez mais eu ouvia: "Nick, isto é incrível. Por que você não escreve sobre o assunto?". Bem, eu escutei e fiz justamente isso. E aqui está.

N.B.

Parte I
Primeiro Contato

1 – Poder das pessoas

Conectar-se com outras pessoas traz recompensas infinitas. E, seja ao conseguir um emprego, obter uma promoção, conseguir uma venda, conquistar um novo parceiro, energizar seu público ou passar pelo crivo dos futuros sogros, se as pessoas gostarem de você, o tapete de boas-vindas será estendido e você garantirá uma conexão. As outras pessoas são o seu maior recurso. Elas te dão à luz, elas te alimentam, te vestem, fornecem dinheiro, te fazem rir e chorar, te confortam, te curam, investem seu dinheiro, consertam seu carro e te enterram. Não podemos viver sem elas. Não podemos nem morrer sem elas.

Conectar-se é o que nossos antepassados estavam fazendo milhares de anos atrás, quando se reuniam em volta da fogueira para comer bifes de mamute ou costurar as últimas tendências em pele animal. É o que fazemos quando organizamos encontros de costura, torneios de golfe, conferências e vendas de garagem; é a base de nossos rituais culturais, dos mais sérios aos triviais, de casamentos e funerais a convenções de boneca Barbie e competições de quem come mais espaguete.

Até os artistas e poetas mais antissociais, que passam longos e excêntricos meses pintando em seus estúdios ou compondo em um cantinho dos seus quartos, geralmente esperam que suas criações se conectem finalmente com o público. E a conexão está no coração desses três pilares de nossa civilização democrática: governo, religião e televisão. Sim, televisão. Já que você pode discutir *The Office* ou *Lost* com amigos de Berlim a Brisbane, podemos considerar a habilidade da telinha de ajudar as pessoas a se conectarem ao redor do mundo.

Milhares de pessoas impactam todos os aspectos de nossas vidas: seja o homem do tempo no estúdio de TV em uma cidade próxima, seja o técnico de uma empresa de telefonia do outro lado do continente ou a mulher em Tobago que colhe mangas para sua salada de frutas. Todo dia, conscientemente ou não, fazemos uma miríade de conexões com as pessoas pelo mundo.

Os benefícios de se conectar

Nosso crescimento e nossa evolução pessoal (assim como a evolução das sociedades) são resultado da conexão que travamos com outros humanos, seja na forma de um bando de jovens guerreiros saindo para uma caça ou de um grupo de colegas de trabalho indo para a pizzaria local depois do expediente na sexta-feira. Como espécie, somos instintivamente levados a nos reunir e formar grupos de amigos, associações e comunidades. Sem eles, não podemos existir.

Conecte-se e viva por mais tempo

Criar conexões é o que nossa massa cinzenta faz de melhor. Ela recebe as informações de nossos sentidos e as processa ao fazer associações. O cérebro adora e aprende com essas associações. Ele cresce e prospera quando está fazendo conexões.

As pessoas fazem a mesma coisa. É um fato científico: as pessoas que se conectam vivem por mais tempo. Em sua joia de livro, *Mantenha o seu cérebro vivo*, Lawrence Katz e Manning Rubin citam estudos da MacArthur Foundation, do International Longevity Center em Nova York e da Universidade do Sul da Califórnia. Esses estudos mostram que as pessoas que permanecem social e fisicamente ativas vivem por mais tempo. Isso não significa sair com a mesma turma de sempre e pedalar em uma bicicleta de exercícios. Significa sair e fazer novos amigos.

Quando você faz novas conexões no mundo exterior, também faz novas conexões no mundo interior – em seu cérebro. Isso o mantém jovem e alerta. Edward M. Hallowell, em seu inteligente livro *Connect* [Conecte-se], cita o estudo do Condado de Alameda de 1979, feito pela dra. Lisa Berkman, da Escola de Ciências da Saúde de Harvard. A dra. Berkman e sua equipe observaram cuidadosamente 7 mil pessoas, com idades entre 35 e 65 anos, durante um período de 9 anos. Seu estudo concluiu que as pessoas que não têm ligações sociais e comunitárias têm quase três vezes mais chance de morrer de doenças do que aquelas com contatos mais extensos. E tudo isso independe de status socioeconômico e práticas de saúde, como fumo, consumo de bebidas alcoólicas, obesidade ou atividade física!

Conecte-se e tenha cooperação

Outras pessoas também podem ajudá-lo a cuidar de suas necessidades e desejos. Seja qual for seu objetivo nesta vida – romance, emprego dos sonhos –, é provável que você precise da ajuda de alguém para conseguir. Se as pessoas gostarem de você, elas estarão dispostas a dedicar seu tempo e seus esforços a você. E, quanto melhor a qualidade da afinidade que você tem com elas, maior o seu nível de cooperação.

Conecte-se e sinta-se seguro

Conectar-se é bom para a comunidade. Afinal, uma comunidade é a culminação de várias conexões: crenças, conquistas, valores, interesses e geografia em comum. Roma não foi construída em um dia, tampouco Detroit. Três mil anos atrás, no local que hoje chamamos de Roma, os indo-europeus se conectavam para caçar, sobreviver e tomar conta uns dos outros de maneira geral. Trezentos anos atrás, um comerciante francês apareceu para criar um local seguro para seu negócio de peles. Ele começou a fazer conexões e logo Detroit nasceu.

Temos uma necessidade básica e física de estar com outras pessoas. Há benefícios mútuos e compartilhados em uma comunidade, então cuidamos uns dos outros. Uma comunidade conectada fornece a seus membros força e segurança. Quando nos sentimos fortes e seguros, podemos dedicar nossa energia a evoluir – de maneira social, cultural e espiritual.

Conecte-se e sinta amor

Por fim, beneficiamo-nos do outro emocionalmente. Não somos sistemas autorregulados e fechados, mas circuitos abertos regulados, disciplinados, encorajados, repreendidos, apoiados e validados pelo *feedback* emocional que recebemos dos outros.

De tempos em tempos, encontramos alguém que influencia nossas emoções e os ritmos vitais do nosso corpo de uma maneira tão agradável que chamamos isso de amor. Seja por meio da linguagem corporal, de expressões faciais, do tom de voz ou apenas de palavras, outras pessoas tornam nossos momentos difíceis mais toleráveis e nossos bons momentos, muito mais doces.

Usamos as contribuições emocionais de outros humanos tanto quanto o ar que respiramos e a comida que comemos. Se formos privados de contato emocional e físico (um abraço e um sorriso contam muito), enfraqueceremos e morreremos tal qual por privação de alimentos. É por isso que ouvimos histórias de crianças em orfanatos que ficam doentes e fracas, mesmo sendo alimentadas e vestidas de maneira adequada. As pessoas com autismo podem desejar contato emocional e físico, mas podem sofrer porque são afetadas por sua falta de habilidades sociais. E quantas vezes você ouviu falar sobre algum cônjuge em um casamento de cinquenta anos que, apesar de ser saudável, morreu em alguns poucos meses ou mesmo semanas depois da morte de seu parceiro? Comida e abrigo não são suficientes. Precisamos uns dos outros, e precisamos de amor.

Cara a cara

A internet foi promovida como a principal ferramenta para reunir as pessoas em comunidades de interesses compartilhados. E é verdade: você pode se divertir com uma rede em constante expansão de "amigos" no Facebook e, se estiver buscando por colecionadores de ursinhos de pelúcia em Toledo ou lutadores na lama em Minsk, certamente os encontrará na web. *Para as pessoas que estão presas em casa, a* web *pode também ser uma benção.*

Ainda assim, temos que lembrar que passar horas na frente de uma tela, teclando no ciberespaço, é um substituto ruim para o espectro completo de experiências oferecido pelo tempo cara a cara com outra pessoa. Você pode encontrar alguém no Match.com *por quem talvez se interessasse romanticamente, mas concordaria em se casar com esse alguém antes de pelo menos encontrá-lo pessoalmente algumas vezes?*

Você precisa estar na presença da pessoa por um tempo para obter todos os sinais verbais e não verbais. A atmosfera criada pela presença física e mental é tão importante quanto a atração superficial, se não mais. Por exemplo, que tipo de ambiente vocês dois criam? Quão espontâneos são vocês? Quão forte é a sua necessidade de conversa? E sobre sua abertura, apoio e companhia?

Se você não sentir uma conexão pessoalmente, o relacionamento pode não durar. Essas coisas podem apenas ser determinadas pelo contato cara a cara.

Por que a amabilidade funciona

Se as pessoas gostam de você, elas se sentem confortáveis perto de você. Elas te darão atenção e ficarão felizes em se abrir para você.

A amabilidade tem um pouco a ver com sua aparência, mas muito mais com a forma como você faz as pessoas se sentirem. Minha velha vovó, que me criou para ser apaixonado pelas pessoas, costumava falar sobre ter "uma disposição iluminada". Ela me levava para um passeio e observávamos as pessoas que tinham disposições iluminadas e as que eram "rabugentas". Ela me dizia que podemos escolher quem queremos ser, e então dávamos risada dos rabugentos porque eles pareciam muito sérios.

Pessoas agradáveis dão sinais altos e claros de sua disposição de serem sociáveis; elas revelam que seus canais de comunicação pública estão abertos. Inserida nesses sinais está a evidência de autoconfiança, confiança nos outros e sinceridade. Pessoas agradáveis expõem uma face pública afetuosa e descontraída, com um brilho extrovertido que afirma: "Estou pronta para me conectar. Estou aberta aos negócios". Elas são receptivas e amigáveis, e atraem a atenção dos outros.

Por que 90 segundos?

"O tempo é precioso." "Tempo é dinheiro." "Não desperdice meu tempo." O tempo se tornou uma mercadoria cada vez mais almejada. Nós alocamos nosso tempo, fazemos com que fique parado, diminuímos sua velocidade ou a aceleramos, perdemos o sentido dele e o distorcemos; até compramos aparelhos para economizar tempo. E, mesmo assim, o tempo é uma das poucas coisas que não podemos economizar – ele está sempre correndo.

Antigamente, éramos inerentemente mais respeitosos uns com os outros e dedicávamos mais tempo às amenidades de conhecer alguém e explorar interesses comuns. No burburinho da vida atual, corremos com tantos prazos ligados a tudo que infelizmente não temos tempo para investir em conhecer os outros muito bem – ou não dedicamos tempo a isso. Buscamos associações, fazemos avaliações, suposições e formamos decisões, tudo em alguns segundos e, frequentemente, antes mesmo que uma palavra seja dita. Amigo ou inimigo? Lutar ou fugir? Oportunidade ou ameaça? Familiar ou estranho?

Instintivamente, avaliamos, despimos e tentamos adivinhar uns aos outros. E, se não conseguimos nos apresentar de uma maneira rápida e favorável, corremos o risco de sermos deixados de lado, educadamente ou não.

O segundo motivo para estabelecer amabilidade em até 90 segundos tem a ver com o intervalo de atenção dos humanos. Acredite ou não, o intervalo de atenção de uma pessoa comum é de cerca de 30 segundos! Focar a atenção tem sido comparado a controlar uma tropa de macacos selvagens. A atenção demanda novidades – ela precisa ser entretida e adora pular de galho em galho, fazendo novas conexões. Se não há nada novo e empolgante em que se concentrar, ela se distrai e sai em busca de algo mais cativante – prazos, futebol ou a paz mundial.

> Leia esta frase e então tire seus olhos do livro e concentre sua atenção em qualquer coisa que não esteja se movendo (uma obra de arte famosa não conta). Mantenha seus olhos no objeto por 30 segundos. Você provavelmente sentirá seu olhar se perder depois de apenas 10 segundos, talvez antes.

Em uma comunicação cara a cara, obter a atenção do outro não é suficiente. Você deve também ser capaz de prender a atenção por tempo suficiente para passar sua mensagem ou intenção. Você conseguirá atenção com sua amabilidade, mas só a manterá se houver qualidade na afinidade que estabelecer. Cada vez mais, isso se resume a três coisas: 1) sua presença, ou seja, sua aparência e como se movimenta; 2) sua atitude, ou seja, o que diz, como diz e quão interessante você é; e 3) como você faz as pessoas se sentirem.

Quando você aprender a fazer conexões rápidas e significativas com as pessoas, melhorará seus relacionamentos no trabalho e até em casa. Você descobrirá a alegria de ser capaz de abordar qualquer pessoa com confiança e sinceridade. Mas atenção: você não deve mudar sua personalidade; isto não é uma nova forma de ser, nem uma nova forma de viver. Você não está recebendo uma varinha mágica e, com ela em mãos, precisa correr para a rua para conseguir que o mundo o convide para jantar – estas são habilidades de conexão para serem usadas apenas quando você precisar delas.

Estabelecer uma afinidade em até 90 segundos com outra pessoa ou grupo, seja em um ambiente social ou comunitário, com um público de negócios ou mesmo em um tribunal lotado, pode ser intimidador para muita gente. Sempre fiquei impressionado com o fato de que recebemos pouquíssimo treinamento, ou nenhum, nessa habilidade fundamental para a vida. Você está prestes a descobrir que já possui muitas das habilidades necessárias para fazer conexões naturais com outras pessoas – só que não sabia disso antes.

2 – Primeiras impressões

Para a finalidade deste livro, há três aspectos a se levar em conta quando se trata de conectar-se com outras pessoas: encontrar, estabelecer uma afinidade e comunicar-se. Os três acontecem de maneira rápida e tendem a se sobrepor e se misturar uns com os outros. Nosso objetivo é torná-los tão naturais, fluidos e fáceis quanto possível – e, acima de tudo, agradáveis e recompensadores.

Obviamente, você começa o processo de conexão ao encontrar pessoas. Às vezes, você encontra alguém por acaso – a mulher no trem que, você descobre, compartilha de sua paixão por filmes de Bogart; outras vezes, por escolha – o sujeito a quem seu primo te apresentou porque ele adora Shakespeare, vinhos finos e *bungee jump*, assim como você.

Encontrar-se é a reunião física de duas ou mais pessoas; comunicar-se é o que fazemos a partir do momento em que notamos totalmente a presença do outro. Entre esses dois eventos – encontrar e se comunicar – está o período de afinidade de 90 segundos em que se estabelece a conexão.

O encontro

Se você passa a impressão correta nos primeiros 3 ou 4 segundos de um novo encontro, cria uma percepção de que é sincero, seguro e confiável, e a oportunidade de ir além e criar uma afinidade surgirá.

O cumprimento

Chamamos os primeiros segundos de contato de "cumprimento". Os cumprimentos são divididos em cinco partes: Abrir – Olhos – Sorrir – Oi! – Inclinar-se. Essas cinco ações constituem um programa de boas-vindas para ser realizado em um primeiro encontro.

Abrir. A primeira parte do cumprimento é abrir sua atitude e seu corpo. Para isso funcionar com sucesso, você deve já ter decidido sobre uma atitude positiva que é a certa para você. Este é o momento de realmente senti-la e percebê-la.

Veja se a sua linguagem corporal está aberta. Se você tem a atitude certa, isso deve se resolver por conta própria. Mantenha seu coração direcionado à pessoa que você está encontrando. Não cubra seu coração com suas mãos ou braços e, sempre que possível, desabotoe sua jaqueta ou casaco.

Olhos. A segunda parte do cumprimento envolve seus olhos. Seja o primeiro a fazer contato visual. Olhe para a outra pessoa diretamente nos olhos. Deixe que os seus próprios olhos reflitam sua atitude positiva. Para dizer o óbvio: o contato visual é o contato *real*!

> Acostume-se a realmente olhar nos olhos das outras pessoas. Quando estiver assistindo à TV em alguma noite, observe a cor dos olhos de quantas pessoas puder, e diga o nome da cor para si mesmo. No dia seguinte, faça o mesmo com cada pessoa que encontrar, olhando diretamente nos olhos dela.

Sorrir. Esta parte tem forte relação com o contato visual. Sorria! Seja o primeiro a sorrir. Deixe seu sorriso refletir sua atitude.

Agora você conseguiu a atenção do outro por intermédio de sua linguagem corporal aberta, seu contato visual e seu grande sorriso. O que aquela pessoa está obtendo de maneira subconsciente é a impressão de que você não é um idiota sorridente que fica encarando (embora você possa recear parecer um!), mas alguém que é totalmente sincero.

Oi! Seja "Oi!", "Olá!" ou até "Ei!", diga a saudação em um tom agradável e ligue seu nome a ela ("Oi! Eu sou Naomi."). Assim como com o sorriso e o contato visual, seja o primeiro a se identificar. É neste ponto, e em apenas alguns poucos segundos, que você estará em uma posição de obter toneladas de informações gratuitas sobre a pessoa com quem está se encontrando – informações que você poderá usar mais adiante em sua conversa.

Assuma a liderança. Estenda sua mão à outra pessoa e, se for conveniente, encontre uma maneira de dizer o nome dela de duas a três vezes para ajudar a fixá-lo na memória. Não algo como "Glenda, Glenda, Glenda, prazer em te conhecer", mas "Glenda. Prazer em te conhecer, Glenda!". Como você verá no Capítulo 7, isto será seguido por sua "declaração de ocasião/local".

Inclinar-se. A parte final de se apresentar é "inclinar-se". Esta ação pode ser uma inclinação para a frente quase imperceptível para indicar de maneira sutil seu interesse e sinceridade conforme você começa a "sincronizar" a pessoa que acabou de encontrar.

O aperto de mão

Os apertos de mão variam do aperto forte, esmagador, ao molengo. Ambos são memoráveis – uma vez que acontecem, você pode ficar com receio de fazer de novo, em alguns casos.

Certas expectativas acompanham um aperto de mão. Ele deve ser firme e respeitoso, como se você estivesse tocando um sino para o serviço de quarto. Se você não corresponder a essas expectativas, a outra pessoa terá dificuldade para entender o que está acontecendo. Há um sentimento de que algo está errado – como água quente saindo da torneira de água fria. O cérebro odeia confusão e, diante dela, seu primeiro instinto é recuar.

O aperto "livre de mãos" é feito sem as mãos, e é uma ferramenta poderosa. Apenas faça tudo que você faria durante um aperto de mãos normal, mas sem usá-las. Aponte seu coração para a outra pessoa e diga olá. Faça seus olhos brilharem e sorria, emanando a mesma energia especial que normalmente acompanha um forte aperto de mãos.

Um exercício de cumprimentos

Disparando energia

Nada diz mais sobre sua amabilidade e acessibilidade em um instante que a qualidade e o nível de energia que você emana. Você pode praticar isso na aula ou no trabalho, mas duas pessoas podem também fazê-lo.

Com seu grupo, faça um círculo de cerca de 3,5 metros. Decida quem começará. Essa pessoa escolhe alguém do outro lado do círculo, junta toda a energia que consegue pelo corpo e a armazena em seu coração. Então, de uma vez, essa pessoa olha a outra nos olhos, diz "Oi!", bate palmas e aponta sua mão direita (a mão do aperto) diretamente para o coração da pessoa, disparando toda a energia armazenada dentro dela em um instante.

Essa é uma descrição longa de algo que leva não mais do que 1 segundo, mas, quando todos os seis canais – corpo, coração, olhos, sorriso, palmas e voz/respiração – são ativados em um ins-

tante, há uma enorme transferência de energia. Imediatamente depois de receber a energia, a pessoa deve dispará-la para outro alguém no círculo da mesma maneira. Continuem, de maneira rápida e focada, a disparar energia uns aos outros até que todos tenham sido atingidos pelo menos três vezes. Certifiquem-se de fazer contato com todos os seis canais de uma vez.

Como variação, você pode escolher disparar diferentes qualidades de energia: energia da lógica/cabeça, comunicação/garganta, amor/coração, poder/plexo solar e sexual. Você já disparou a energia do amor/coração.

Agora, com um único parceiro, faça o mesmo com cabeça a cabeça, em vez de coração a coração. Continue disparando energia da lógica/cabeça um para o outro até que ambos concordem que podem senti-la e diferenciá-la da energia do amor/coração. Depois de 2 ou 3 minutos enviando e recebendo energia, tente as outras regiões: garganta a garganta, plexo solar a plexo solar etc.

Fica ainda melhor. Descubra que tipo de energia você quer enviar, mas não diga qual. Agora, cumprimente seu parceiro, dê-lhe um aperto de mãos, diga "Oi!" e dispare! O objetivo é que seu parceiro identifique o tipo de energia que está recebendo. Pratique e pratique até que sua linguagem corporal se torne sutil e quase imperceptível.

A seguir, saia e tente com as pessoas que você encontrar. Dispare energia quando disser "Oi" a alguém em um supermercado, ao garçom na cafeteria, à sua cunhada ou ao cara que conserta a copiadora no seu escritório. Eles perceberão algo especial sobre você – algo que pode ser chamado de "qualidade de estrela".

A propósito, o aperto "livre de mãos" faz maravilhas em apresentações quando você quer estabelecer afinidade com um grupo ou audiência.

Estabelecendo afinidade

A afinidade é o estabelecimento de um interesse comum, uma zona de conforto na qual duas ou mais pessoas podem se reunir mentalmente. Quando vocês têm afinidade, cada um traz algo *para* a interação – atenção, afeição, senso de humor, por exemplo –, e cada um *leva* algo: empatia, simpatia, talvez algumas boas piadas. A afinidade é o lubrificante que permite que as interações sociais fluam facilmente.

O prêmio, quando você alcança a afinidade, é a aceitação positiva pela outra pessoa. Essa resposta não se manifestará em muitas palavras, mas será sinalizada em algo assim: "Eu sei que acabamos de nos conhecer, mas eu gosto de você, então dedicarei minha atenção a você". Algumas vezes, a afinidade acontece por conta própria, como se por acaso; outras vezes, você deve dar um empurrão. Acerte, e a comunicação pode começar. Erre, e você terá que barganhar atenção.

À medida que você encontra e cumprimenta as pessoas, sua habilidade de estabelecer afinidade passa a depender de quatro coisas: sua atitude, sua habilidade de "sincronizar" certos aspectos de comportamento, como linguagem corporal e tom de voz, suas habilidades conversacionais e sua habilidade de descobrir em que sentido (visual, auditivo ou cinestésico) a outra pessoa mais confia. Uma vez que você se habilite nestas quatro áreas, será capaz de rapidamente se conectar e estabelecer afinidade com quem quiser, a qualquer momento.

Continue lendo e você descobrirá que é possível acelerar o processo de se sentir confortável com um estranho em um salto quântico de rituais de familiarização normais, indo direto para as rotinas que as pessoas que gostam umas das outras fazem naturalmente. Rapidamente, elas passam a se relacionar como se se conhecessem por anos. Muitos de meus alunos relatam que, quando o processo de alcançar a afinidade se torna algo natural, deparam-se com pessoas perguntando: "Você tem certeza de que já não nos conhecemos?". Eu sei como é: acontece comigo o tempo todo. E não são apenas as outras pessoas me fazendo essa pergunta. Eu também me convenço de que metade das pessoas que encontro, eu já encontrei antes – é assim que acontece quando você entra facilmente no mundo de outra pessoa. É um sentimento maravilhoso.

Comunicando-se

Todo mundo parece entender a palavra "comunicação" de forma diferente, mas as definições normalmente giram em torno de algo assim: "É uma troca de informações entre duas ou mais pessoas", "É transmitir a sua mensagem", "É ser compreendido".

Nos primórdios da programação neurolinguística (PNL), em um projeto de pesquisa dedicado ao "estudo da excelência e de um modelo sobre como os indivíduos estruturam sua experiência sensorial subjetiva", Richard Bandler e John Grinder criaram uma definição certeira: "O significado de comunicação está na resposta que ela obtém". Uma definição simples e brilhante, porque significa que o sucesso de sua comunicação depende totalmente de você. Afinal, *você* é a pessoa com a mensagem a ser entregue ou com o objetivo a ser atingido, e *você* é a pessoa com a responsabilidade de fazer isso acontecer. Além disso, se ela não funciona, *você* é a pessoa com flexibilidade para mudar o que faz até finalmente conseguir o que quer. Para dar alguma forma e função à comunicação, vamos supor que temos algum tipo de resposta ou resultado em mente.

As pessoas que não possuem muitas habilidades de comunicação normalmente não pensaram na resposta que querem da outra pessoa em primeiro lugar, portanto, não podem esperar por ela.

As habilidades que você aprenderá aqui vão ajudá-lo em todos os níveis de comunicação, incluindo desde as relações sociais, como desenvolver novos relacionamentos e ser compreendido em suas interações diárias, até os movimentos que mudam a vida tanto para você como para aqueles em sua esfera de influência.

A fórmula para uma comunicação eficaz tem três partes distintas:

Saiba o que quer. Formule sua intenção de forma afirmativa e, de preferência, no presente. Por exemplo, "eu quero um relacionamento bem-sucedido, então enchi minha imaginação com o aspecto, o som, a sensação, o cheiro e o sabor desse relacionamento, e saberei quando o alcançar" é uma afirmação, ao contrário de "Não quero estar sozinho".

Descubra o que você está obtendo. Avalie o que você está fazendo para atingir seu objetivo e a resposta que está obtendo. Por exemplo, você pode descobrir que ir a bares não é uma boa maneira de conhecer pessoas.

Mude o que está fazendo até conseguir o que quer. Crie um plano e atenha-se a ele: "Eu convidarei três amigos para jantar no sábado e pedirei que cada um traga alguém". Faça isso e obtenha mais retorno. Recrie seu plano se necessário, e faça isso novamente, avaliando se funciona melhor. Repita o ciclo – recriar-fazer-obter retorno – até conseguir o que quer. Você pode usar esse ciclo em qualquer área de sua vida que queira melhorar: finanças, romance, esportes, carreira, você escolhe.

O que vem por aí. . .

Nos capítulos a seguir, vamos examinar a área de afinidade em muito mais detalhes, assim como o valor de uma Atitude Realmente Útil para projetar uma imagem positiva de si mesmo. Você aprenderá o que acontece à primeira vista na superfície e abaixo dela, e a importância de se ter congruência em sua linguagem corporal, seu tom de voz e suas palavras, com todos dizendo a mesma coisa. Sem sinais cruzados, sem mensagens conflitantes, sem confusão. Você descobrirá como sua linguagem corporal atrai algumas pessoas, mas não outras, e como, ao fazer alguns ajustes em seus movimentos, poderá afetar positivamente a maneira como elas se sentem em relação a você.

Então, mergulharemos mais profundamente no mundo afetuoso e acolhedor da sincronia. Você aprenderá como se alinhar aos sinais que as outras pessoas lhe enviam para que possam sentir familiaridade e conforto naturais perto de você. Também vamos discutir a enorme importância do tom de voz e como ele influencia os humores e as emoções que queremos transmitir.

Um capítulo inteiro é dedicado a como iniciar e manter uma conversa vivaz. Vamos explorar todas as maneiras de fazer as pessoas se abrirem e evitar que se fechem. Vamos também falar sobre como lidar com elogios, obter informações gratuitas e ser memoráveis.

Por fim, vamos mergulhar a fundo na psique humana. A verdade impressionante é que, embora nos orientemos pelo mundo usando nossos cinco sentidos, cada um de nós tem um sentido do qual depende mais do que dos outros quatro. Vou mostrar como as pessoas dão pistas sobre seu sentido favorito o tempo todo e como você pode entrar na mesma frequência sensorial delas. As pessoas que dependem principalmente de seus ouvidos se diferenciam daquelas que dependem principalmente de seus olhos? Pode ter certeza de que sim, e você descobrirá como personalizar sua abordagem para se comunicar com elas.

Cada capítulo inclui pelo menos um exercício que o ajudará a concretizar o poder de se conectar. Você pode fazer alguns desses exercícios sozinho, mas outros devem ser feitos com um parceiro. Sejamos honestos: as habilidades de comunicação cara a cara e de afinidade são atividades interativas; você não pode aprender todas elas por conta própria.

No final do livro, há um caderno com mais 21 exercícios criados para ajudá-lo a consolidar e colocar em prática o que aprendeu.

Então, aí está. Conectar-se. O tempo todo, homens, mulheres e crianças emitem sinais vitais sobre o que os motiva – como eles vivenciam e filtram o mundo – por meio de sua linguagem corporal, seu tom de voz, movimentos dos olhos e escolha de palavras. As pessoas simplesmente não conseguem deixar de fazer isto. Agora, depende de você aprender como usar esse fluxo maravilhoso e constante de informações para alcançar resultados melhores e relacionamentos mais satisfatórios.

Parte II
O período de afinidade de 90 segundos

3 – "Há algo sobre esta pessoa de que eu realmente gosto!"

Seja quando estiver tentando fazer uma venda, conseguir um encontro ou escapar de uma multa de trânsito, você precisa estabelecer uma afinidade.

Algumas vezes, a afinidade acontece naturalmente e você nem sabe por quê. Ela acontece, a conversa flui, o policial rasga a multa. Mas quantas vezes você já não se encontrou em uma situação em que, não importa quanto tentasse, parecia não conseguir se conectar com o outro, e isso não fazia nenhum sentido? Afinal de contas, você sabe que é um ser humano legal e decente. Talvez seja até um ser humano fabuloso e muito atraente. Mas, não importa o que diga ou faça, você não estabelece uma afinidade e não consegue se conectar.

Você não está sozinho. Ser um humano decente não é o suficiente para garantir uma boa afinidade com outra pessoa. No dicionário, "afinidade" se define como "comunicação harmoniosa ou simpática". Em nossas comunicações interpessoais, passamos por certas rotinas quando encontramos uma nova pessoa. Se essas rotinas funcionam e a afinidade é estabelecida, podemos começar a nos comunicar com alguma certeza de que a mensagem será aceita e considerada seriamente. Uma consideração séria é vital porque o resultado fundamental da afinidade é a percepção de credibilidade, que, por sua vez, acaba levando à confiança mútua. Se a credibilidade não é estabelecida, o mensageiro, e não a mensagem, pode se tornar o foco da atenção, e essa atenção gerará desconforto.

Porém, quando vivenciamos o mundo pelos mesmos olhos, ouvidos e sentimentos dos outros, ficamos tão ligados, ou sincronizados, que eles conseguem saber que os entendemos. Isso significa ser tanto como eles que eles confiam em nós e se sentem confortáveis conosco, dizendo a si mesmos de maneira subconsciente: "Não sei o que essa pessoa tem, mas é algo de que eu realmente gosto".

Pesquisas têm mostrado que temos aproximadamente 90 segundos para passar uma impressão favorável quando encontramos alguém pela primeira vez. O que acontece nesses 90 segundos pode determinar se teremos sucesso ou não em estabelecer afinidade. De fato, em muitos casos temos até menos que 90 segundos!

Afinidade natural

A atração está presente em todo lugar no universo. Não importa se você chama de magnetismo, polaridade, eletricidade, pensamento, inteligência ou carisma, ainda é atração, e ela está em tudo – seja animal, vegetal ou mineral. Nós formamos parcerias sincronizadas naturalmente e, embora elas não sejam facilmente notadas por alguns, são muito tangíveis para outros.

Sempre dependemos de contato e sinais emocionais de nossos pais, colegas, professores e amigos para nos orientarmos durante a vida. Somos influenciados pelo *feedback* emocional das pessoas, por seus gestos e suas formas de fazer as coisas. Quando sua mãe ou seu pai se sentavam de determinado modo, você buscava fazer o mesmo; se um amigo legal ou uma estrela de cinema caminha de certa maneira, você talvez tente adotar um andar similar. Aprendemos ao nos alinharmos aos sinais que as outras pessoas nos enviam. Ficamos marcados pela maneira de ser delas. Nós sincronizamos o que gostamos sobre elas.

As pessoas com interesses comuns têm uma afinidade natural. Você se relaciona tão bem com seus amigos mais próximos porque vocês têm interesses similares, opiniões similares e talvez até formas similares de fazer as coisas. Claro, vocês também encontrarão com frequência muitas coisas das quais discordam entre si e discutirão a respeito, mas, de maneira geral, são bem parecidos uns com os outros.

Nós, seres humanos, somos animais sociais. Vivemos em comunidades. É muito mais "normal" e até lógico nos relacionarmos bem com outra pessoa do que discutir, brigar e *não* nos darmos bem. A ironia é que a sociedade nos condicionou a ter medo dos outros – a estabelecer limites entre os outros e nós mesmos. Vivemos em uma sociedade que finge encontrar união por meio do amor, mas que, na realidade, o faz pelo medo. A mídia nos assusta com manchetes e reportagens falando o tempo todo sobre terremotos e acidentes aéreos e nos perguntando se temos seguro para tudo, se estamos muito gordos, muito magros, se o detector de fumaça está funcionando, e nos informando sobre as despesas altíssimas com funerais. A afinidade natural é um requisito básico para nossa sanidade, nossa evolução e, claro, nossa sobrevivência.

Afinidade por acaso

Talvez você já tenha viajado para algum país onde as pessoas não falam a sua língua e você não entende a delas. Você se sente um pouco desconfortável, até desconfiado, quando não pode ser compreendido. Então, de repente, você encontra alguém do seu próprio país, quem sabe até do seu estado. Essa pessoa fala a sua língua e, pronto, você tem um novo amigo – pelo menos para as suas férias. Vocês podem compartilhar experiências, opiniões, percepções, como encontrar os melhores restaurantes e ofertas. Vocês, sem dúvida, trocarão informações pessoais sobre família e trabalho. Tudo isso e muito mais porque compartilham um idioma. Isso é afinidade por acaso. Talvez o seu entusiasmo o leve a continuar com aquela amizade depois de voltar para casa, apenas para descobrir que, além do idioma e da localização, vocês não têm nada em comum, e o relacionamento acaba por conta própria.

Isso não é limitado ao idioma ou à geografia. Encontros por acaso acontecem quase diariamente para todos nós – no trabalho, no supermercado, na lavanderia ou no ponto de ônibus.

> A chave para estabelecer afinidade com estranhos é aprender como se tornar como eles. Felizmente, isso é simples e divertido de fazer, e permite que você encare cada novo encontro como um quebra-cabeça, um jogo, uma diversão.

Afinidade planejada

Quando os interesses ou o comportamento de duas ou mais pessoas estão sincronizados, diz-se que elas têm afinidade. Como já sabemos, a afinidade pode acontecer em resposta a um interesse compartilhado ou quando você se encontra em certas situações ou circunstâncias. Mas, quando nenhuma dessas condições está presente, há uma forma de estabelecer afinidade de maneira "planejada" – e é sobre isso que o livro fala.

Interesse comum

Mark está participando de um jantar formal com oito pessoas à mesa. Ele odeia esses eventos e, como sempre, está sem saber o que dizer. Ele começa a ter aquela sensação de querer se contorcer. Ele não conhece ninguém além de seu contador, que está sentado do outro lado da sala e fazendo todo mundo dar risada. De repente, a convidada à sua frente, uma jovem em um vestido azul brilhante que chamou sua atenção alguns momentos atrás, mesmo sem que eles tivessem se falado, diz ao homem à sua esquerda que ela é uma ávida colecionadora de selos. Assim como Mark!

Mark está aliviado e muito feliz porque o acaso deu a ele uma desculpa para falar com ela. Eles têm algo em comum – selos. Mark começa a falar e conta a Tanya tudo sobre seu selo raro de 1948, Ovo Pochê, e como ele o encontrou quando seu Pontiac quebrou em Cortlandville, no norte do estado de Nova York. Com os dois cotovelos na ponta da mesa e um dedo posicionado gentilmente em sua bochecha, perto de sua orelha, Tanya se inclina em direção a Mark; suas pupilas se dilatam ligeiramente à medida que seus ombros ficam mais leves e relaxados. Mark também se inclina apoiado em seus cotovelos, sorrindo quando Tanya sorri, assentindo quando ela assente. Ela bebe um gole de sua água; ele se vê fazendo o mesmo.

Mark e Tanya agora estabeleceram afinidade. Eles se conectaram e iniciaram um relacionamento a partir de um interesse comum. Sua afinidade é evidente em muitos níveis – os sinais e ritmos que estão recebendo e enviando um ao outro, as modificações imperceptíveis de comportamento que estão fazendo sem pensar. O interesse compartilhado lhes proporcionou proximidade, e eles estão se ajustando um ao outro. Quem sabe para onde isso vai levar? Eles gostam um do outro porque eles são um como o outro, e a dança da afinidade começou a se calibrar. Eles fizeram uma conexão favorável em até 90 segundos.

Quando nos preparamos para estabelecer afinidade planejada, propositadamente reduzimos a distância e as diferenças entre nós mesmos e o outro ao encontrar um interesse comum. Quando isso acontece, sentimos uma conexão natural com a pessoa, ou pessoas, porque somos iguais – tornamo-nos um com o outro.

Conforme a afinidade se desenvolve entre Mark e Tanya na história acima, há muito mais coisas acontecendo do que se pode perceber. Uma pessoa aleatória talvez não as notasse, mas, para o olhar e ouvido treinados, elas são facilmente detectáveis. Conforme o interesse compartilhado emerge, acontece o mesmo no comportamento de um com o outro. Linguagem corporal, expressões faciais, tom de voz, contato visual, padrões de respiração, ritmos corporais e muitas outras atividades fisiológicas se alinham. De maneira simples, ambos começam, inconscientemente, a se comportar de forma igual. Eles começam a sincronizar suas ações.

A afinidade planejada é estabelecida quando você altera deliberadamente seu comportamento, apenas por um curto período, para se tornar *como* a outra pessoa. Você se torna um adaptador, apenas pelo tempo suficiente para estabelecer uma conexão.

O que você pode precisamente adaptar e como fazer isso é o que você aprenderá nos capítulos a seguir.

Tudo que você precisa ter é sua atitude, sua aparência, seu corpo, suas expressões faciais, seus olhos, o tom e o ritmo de sua voz, seu talento para estruturar palavras em uma conversa envolvente e seu dom, a ser revelado, para descobrir o sentido favorito da outra pessoa. Acrescente a tudo isso uma habilidade de escutar e observar os outros e uma grande dose de curiosidade. Sem aparelhos, sem equipamentos, sem afrodisíacos, sem pílulas, sem talões de cheques, sem forçar a barra. Apenas os dons maravilhosos que você ganhou quando nasceu e um desejo emocionante de ter a companhia de outras pessoas.

4 – Atitude é tudo

Sua mente e seu corpo são parte do mesmo sistema. Eles influenciam um ao outro. Quando você está feliz, você parece feliz, você soa feliz e usa palavras felizes.

Tente sentir-se cabisbaixo enquanto pula no ar e bate palmas ou tente sentir-se feliz enquanto afunda em uma cadeira e deixa sua cabeça pender. Sua atitude controla sua mente e sua mente guia a linguagem corporal.

As atitudes definem a qualidade e o humor de seus pensamentos, do seu tom de voz e das palavras que diz. Mais importante, elas governam sua linguagem facial e corporal. As atitudes são como bandejas em que nos servimos para os outros. Uma vez que sua mente esteja ligada a uma atitude em particular, você tem muito pouco controle consciente sobre os sinais que seu corpo envia. Seu corpo tem uma mente própria, e representará os padrões de comportamento associados a qualquer atitude que você esteja experimentando.

Uma Atitude Realmente Útil

Não importa o que você faça ou onde você more, a qualidade de sua atitude determina a qualidade de seus relacionamentos – para não falar de tudo o mais na sua vida.

Eu sou cliente da mesma agência bancária há oito anos. De tempos em tempos, alguém de quem eu nunca ouvi falar me manda uma carta (com a grafia errada do meu nome) para me dizer que é um prazer me ter como um cliente especial. Não importa quanto tentem melhorar seu serviço "personalizado", os bancos são iguais em qualquer lugar, e o meu não é diferente dos outros. Então, por que eu ainda sou cliente do mesmo banco, ainda mais depois que outros dois novos e concorrentes abriram agências mais próximas de onde moro? Conveniência? Obviamente, não. Melhores taxas? Não. Mais serviços? Não, não é por nenhum desses motivos. É por causa de Louanne, uma das caixas. O que a Louanne oferece que a instituição não pode oferecer? Ela me faz sentir bem. Acredito que ela se preocupa comigo, e outros clientes pensam da mesma forma sobre ela. Você pode perceber pela maneira como falam com ela. Essa moça charmosa ilumina todo o ambiente.

Como Louanne faz isso? Simples. Ela sabe o que quer: agradar os clientes e fazer bem o seu trabalho. Ela tem uma Atitude Realmente Útil ou, para ser mais preciso, duas Atitudes Realmente Úteis totalmente congruentes. Ela é animada e interessada, e todo mundo se beneficia: eu como cliente, seus colegas, sua empresa, sem dúvida sua família e, acima de tudo, ela mesma. O que Louanne transmite com sua Atitude Realmente Útil retorna para ela mil vezes mais e se torna uma realidade alegre e de autossatisfação. E não custa um centavo.

Uma Atitude Realmente *Inútil*

Duas pessoas quaisquer podem ter atitudes completamente diferentes diante do mesmo conjunto de experiências. Porém, quando duas pessoas reagem à mesma experiência com a mesma atitude, elas compartilham uma ligação natural poderosa. As atitudes têm a tendência de ser contagiantes, e, como são enraizadas na interpretação emocional das experiências, podem ser distorcidas e moldadas; elas podem ser estimuladas ou arrefecidas.

O que acontece quando as pessoas perdem o controle e ficam nervosas? Elas parecem agressivas (linguagem corporal), seu tom de voz se torna mais ríspido e elas usam palavras ameaçadoras. Ficar perto delas pode ser muito assustador. Do ponto de vista de fazer as pessoas gostarem de você, ou mesmo de se obter uma disposição de cooperar, chamamos isso de Atitude Realmente Inútil. Quantas vezes você viu pais furiosos dando bronca em seus filhos por terem derrubado as bananas no supermercado? Ou vendedores entediados e desinteressados? Ou médicos irritados e impacientes? Todos estão mostrando atitudes inúteis.

Não estou dizendo se isso é certo ou errado; apenas estou mostrando que, do ponto de vista da comunicação, atitudes do tipo não transmitem muito bem a mensagem – se é que há alguma mensagem. E esse é geralmente o ponto. Atitudes inúteis tendem a vir de pessoas que não sabem o que realmente querem de sua comunicação.

> Lembre-se: saiba o que quer. Se você não sabe o que quer, não há mensagem a transmitir e não há base para se conectar com outras pessoas.

A maioria das pessoas pensa em termos do que elas *não* querem, em vez de no que elas *querem*, e suas atitudes refletem isso. “Eu não quero mais que meu chefe grite comigo” vem com uma atitude completamente diferente de “eu quero o emprego do meu chefe" ou "eu quero ser promovido". Igualmente, "estou cansado de vender gravatas todos os dias" transmite uma atitude e um conjunto de sinais completamente diferentes ao seu cérebro do que "eu quero ter um barco de pesca em Honey Harbor".

Sua imaginação é a maior força que você possui – maior que a sua força de vontade. Pense nisso. Sua imaginação projeta experiências sensoriais em sua mente por intermédio da linguagem de imagens, sons, sensações, cheiros e sabores. Sua imaginação distorce a realidade. Ela pode trabalhar a seu favor ou contra. Ela pode fazer com que você se sinta maravilhoso ou péssimo. Então, quanto melhor a informação que você pode colocar na sua imaginação, melhor ela pode organizar seu raciocínio, suas atitudes e, basicamente, sua vida.

É a sua escolha

A boa notícia é que é você quem seleciona as suas atitudes.

E, se você é livre para escolher qualquer uma que lhe agrade, por que não escolher uma Atitude Realmente Útil?

Digamos que o seu voo acabou de aterrissar no aeroporto internacional de Miami e você perdeu sua conexão para Omaha. É imprescindível que você embarque no próximo voo, então você se dirige ao balcão da companhia aérea e grita com o atendente. Essa é uma Atitude Realmente Inútil. Se você deseja obter o máximo de ajuda do atendente, a melhor coisa que pode fazer é encontrar uma Atitude Realmente Útil que crie uma afinidade e, assim, facilite obter a cooperação.

Eu provavelmente vou me arrepender de dizer isso, mas já consegui me livrar de várias multas de trânsito (e falhei algumas vezes também) só na conversa – e não eram apenas multas por estacionar em local proibido. Estou absolutamente convencido de que, se eu começasse dizendo ao policial que o radar estava quebrado ou se perdesse a minha cabeça e ficasse nervoso, dizendo a ele que eu sou o primo do prefeito e nunca visitaria a cidade novamente, estaria perdido desde o começo. Se eu quero que o policial goste de mim, seja compreensivo e não me dê a multa, eu tenho que ter uma Atitude Realmente Útil, usando expressões como "sinto muito", "é justo", "nossa, que idiota que eu sou" ou "Ah, nossa, sim, obrigado!".

Na última vez em que fui parado, o policial me seguiu até o estacionamento do supermercado do bairro e parou atrás do meu carro; eu saí e caminhei até a sua viatura. Pela aparência física do homem, sua barba e porte físico, eu imaginei que ele fosse uma pessoa cinestésica ou baseada em sentimentos (você vai saber mais sobre isso adiante), então as primeiras palavras que saíram da minha boca foram: "Muito justo". Isso porque não havia dúvidas de que eu estava errado. Ele me deu um sermão bem-merecido sobre o que eu tinha feito e me deixou ir com uma advertência. O ponto é que minha atitude deu o tom do encontro – porque eu sabia o que queria.

> Em situações cara a cara, sua atitude vem antes de você. É a força central em sua vida – ela controla a qualidade e aparência de tudo que você faz.

Não é necessário ter muita imaginação para pensar em algumas Atitudes Realmente Inúteis – raiva, impaciência, arrogância, tédio, cinismo –, então, por que não se dar algum tempo para refletir e sentir uma Atitude Realmente Útil? Quando você encontra alguém pela primeira vez, você pode ser curioso, entusiasmado, inquisitivo, útil ou envolvente. Ou meu favorito: afetuoso. Há algo intoxicante sobre o contato humano afetuoso; de fato, os cientistas descobriram que ele pode gerar uma liberação de opiáceos no cérebro – que tal isso para uma Atitude Realmente Útil? É desnecessário dizer que qualquer uma dessas atitudes é mais útil do que vingança ou desrespeito.

Atitudes Realmente Úteis	Atitudes Realmente Inúteis
Afetuosa	Nervosa
Entusiasmada	Sarcástica
Confiante	Impaciente
Solidária	Entediada
Relaxada	Desrespeitosa
Prestativa	Arrogante
Curiosa	Pessimista
Qualificada	Ansiosa
Confortável	Rude
Útil	Desconfiada
Envolvente	Vingativa
Despojada	Receosa
Paciente	Inibida
Acolhedora	Zombadora
Animada	Envergonhada
Interessada	Diligente

Pergunte a si mesmo: "O que eu quero agora, neste momento? E que atitude me ajudará mais?". Lembre-se: há apenas dois tipos de atitude para considerar quando lidamos com outros humanos: útil e inútil.

Um exercício de atitude

Ativando memórias felizes

Sabe como certos sons podem lembrá-lo de algo especial que ocorreu em sua vida? Quando eu tinha oito anos, minha mãe me levou a um resort, e lá havia um homem que preparava donuts enquanto "Diana", de Paul Anka, tocava ao fundo. Agora, sempre que ouço essa música, ela ativa a lembrança do cheiro de donuts e de férias felizes. É a música que ativa a memória. Um gatilho pode ser um som ou algo visual. Também pode ser um sentimento ou ação. E, acredite ou não, pode ser um punho cerrado.

Siga os passos abaixo e você verá o que quero dizer. Cerre com firmeza o punho da mão que você usa para escrever. Então, solte. Repita a ação algumas vezes. Este será o seu gatilho.

1. *Escolha uma Atitude Realmente Útil – uma que você sabe que será útil quando encontrar alguém pela primeira vez. Pode ser curiosa, qualificada, afetuosa, paciente ou qualquer atitude que você ache que vai funcionar para você. Mas deve ser uma atitude que você vivenciou em algum momento da sua vida e que você pode puxar da memória sempre que quiser.*
2. *Encontre um local confortável, quieto e não muito iluminado, onde você não seja incomodado por 10 minutos. Sente-se, coloque os dois pés no chão, respire devagar com seu abdômen (não com o peito) e relaxe.*
3. *Agora você está pronto. Feche os olhos e pense em um momento de sua vida em que sentiu a atitude que escolheu. Em sua mente, visualize esse evento específico. Inclua todos os detalhes de que consiga se lembrar. O que está no primeiro*

plano e ao fundo? A imagem está nítida ou embaçada? Preto e branco ou colorida? É grande ou pequena? Dê o tempo necessário para torná-la o mais real que puder. Agora, entre nessa imagem e olhe-a com seus próprios olhos. Preste atenção ao que vê.

4. *Depois, traga à tona os sons associados a essa imagem. Observe de onde vêm os sons: da esquerda, da direita, da frente ou de trás? Eles são altos ou baixos? Que tipos de som eles são? Música? Vozes? Escute o tom, o volume e o ritmo. Ouça profundamente e os sons voltarão transbordando. Ouça a qualidade de cada som e tente escutar como eles contribuem para sua atitude escolhida.*
5. *Traga as sensações físicas associadas ao evento: a sensação das coisas à sua volta, a temperatura do ar, suas roupas, seu cabelo, onde você está, seja de pé ou sentado. Em seguida, observe os sentimentos dentro do seu corpo. Onde eles começam? Talvez eles se movam em seu corpo. Mova sua concentração para o fundo desses sentimentos maravilhosos e aproveite-os. Viaje com eles. Observe qualquer cheiro e gosto que queiram ser incluídos e saboreie-os também.*
6. *Com seus olhos "externos" ainda fechados, observe novamente a cena com seus olhos "internos". Torne as imagens maiores, mais nítidas, brilhantes, vibrantes. Torne os sons mais fortes, nítidos, puros e perfeitos. Torne os sentimentos mais fortes, suntuosos, profundos e afetuosos. Siga a intensidade dos sentimentos se eles se moverem de um lugar para o outro, então traga-os de volta para o começo e os intensifique. Traga-os de volta à medida que eles ficam mais fortes. Deixe o sentimento preenchê-lo.*
7. *Faça tudo duas vezes maior, mais forte e mais puro. E, então, dobre novamente. E de novo. Agora, todo o seu corpo e a sua mente estão se deleitando na experiência de tudo isso. Vendo, ouvindo, sentindo. Fortaleça as sensações o quanto puder e, quando achar que não pode fortalecê-las mais, dobre-as uma vez mais e cerre seu punho com força e rapidamente, enquanto fixa o auge da sua experiência em seu gatilho. Sinta as sensações fluírem por você. Intensifique-as novamente, e então cerre seu punho no auge dos sentimentos e solte.*

Relaxe sua mão e sinta as sensações fluírem pelo seu corpo. Faça isso mais uma vez, e então relaxe sua mão e o resto do seu corpo. Volte à realidade no seu próprio ritmo e relaxe. Espere cerca de 1 minuto e, então, teste o seu gatilho. Deixe o punho cerrado e preste atenção aos sentimentos entrando rapidamente em todos os seus sentidos. Teste novamente depois de alguns minutos. Você está pronto para usar essa Atitude Realmente Útil sempre que quiser.

Quantas vezes você já não viu uma repórter frustrada fazendo uma entrevista na TV? Ou um vendedor em uma loja atendendo um cliente quando claramente gostaria de estar em outro lugar? Ou um colega que é sarcástico com a pessoa que poderia tirar cópias mais rápido se quisesse? Ou passageiros sendo rudes com o taxista, que é a única pessoa com os meios de fazê-los chegar à igreja a tempo? Todas essas são Atitudes Realmente Inúteis. Em relação à comunicação, todas certamente vão falhar.

Uma Atitude Realmente Útil é um dos principais geradores do fator de amabilidade – e funciona como um encanto. Sua postura, seus movimentos e sua expressão dirão muito sobre você antes mesmo que você abra a boca.

Quanto mais cedo você souber o que quer e qual é a atitude mais útil para ajudá-lo a conseguir, mais cedo sua linguagem corporal, sua voz e suas palavras mudarão para auxiliá-lo a chegar ao objetivo.

A conclusão é óbvia. As pessoas que sabem o que querem tendem a conseguir porque estão concentradas e positivas, e isso se reflete tanto para dentro quanto para fora em suas atitudes. Adote uma atitude animada na próxima vez que encontrar alguém novo e veja como todo o seu ser muda para desempenhar o papel.

Sua aparência será animada, você soará animado e usará palavras animadas. Esse é o "pacote da comunicação" completo. As outras pessoas fazem grandes ajustes nas reações que dedicam a você com base nos sinais que você transmite. O próximo capítulo observará em detalhes como esses sinais se combinam para apresentar uma imagem positiva.

5 - As ações *realmente* falam mais alto do que as palavras

Primeiras impressões são poderosas. Adicionalmente às avaliações instintivas do tipo "lutar ou fugir", quase sempre pesamos as oportunidades envolvidas em novos encontros cara a cara.

Não importa quanto nos esforcemos, não podemos fugir do fato de que a imagem e a aparência são importantes ao encontrarmos alguém pela primeira vez. Vestir-se bem ajuda muito a deixar uma impressão positiva quando você começa a estabelecer afinidade, mas o que fazer para as pessoas se afeiçoarem a você? E como projetar as partes mais amáveis de sua própria personalidade exclusiva?

Linguagem corporal

Sua linguagem corporal, que inclui sua postura, suas expressões e seus gestos, corresponde a mais da metade dos aspectos aos quais as pessoas vão reagir e sobre os quais farão suposições.

Quando pensamos em linguagem corporal, normalmente pensamos no que acontece do pescoço para baixo. Mas muito do que comunicamos aos outros – e sobre o que farão suposições – ocorre do pescoço para cima. Gestos faciais e acenos com a cabeça correspondem a um vocabulário que se iguala ou excede o do restante do corpo.

Os sinais que enviamos com nossos corpos são cheios de significado e globais em seu escopo. Alguns deles são inatos; outros, aprendidos a partir de nossa vivência em sociedade e de nossa cultura. Em qualquer lugar do planeta, o pânico leva a uma proteção incontrolável do coração com as mãos e/ou a um congelamento dos membros. Um sorriso é um sorriso em todos os continentes, enquanto a tristeza se traduz em lábios virados para baixo tanto em Nova York como Papua Nova Guiné. Os punhos cerrados de determinação e as palmas das mãos abertas com verdade transmitem a mesma mensagem, seja na Islândia ou na Indonésia.

E, não importa em que lugar do planeta você se encontre, mães e pais instintivamente seguram seus bebês com a cabeça apoiada no lado esquerdo de seu corpo, próximos ao coração. O coração está no centro de tudo. As expressões faciais e a linguagem corporal obedecem à finalidade maior de ajudar seu corpo a manter o bem-estar de seu centro de sentimentos, humores e emoções – o coração.

Muito já se escreveu sobre linguagem corporal, mas, no fim das contas, essa forma de comunicação pode ser dividida em duas categorias amplas: aberta e fechada. Uma linguagem corporal aberta expõe o coração, enquanto a linguagem corporal fechada o defende ou protege. Ao estabelecer afinidade, podemos também pensar em termos de gestos inclusivos e não inclusivos.

Linguagem corporal aberta

A linguagem corporal aberta expõe seu coração e corpo (dentro dos limites da decência, claro!) e sinaliza cooperação, compromisso, disposição, entusiasmo e aprovação. Esses gestos estão aí para serem vistos. Eles mostram confiança. Eles dizem "SIM!".

> Seu corpo não sabe mentir. Inconscientemente, sem nenhuma orientação sua, ele transmite seus pensamentos e sentimentos, em uma linguagem própria, para os corpos de outras pessoas, e estes a entendem perfeitamente. Qualquer contradição na linguagem pode interromper o desenvolvimento de afinidade.

Em sua obra clássica *How to Read a Person like a Book* [Como Observar as Pessoas], Gerard I. Nierenberg explica o valor dos gestos abertos. Esses gestos incluem mãos abertas e braços descruzados, assim como algum movimento sutil em direção à outra pessoa que diga "Estou com você" ou um aspecto que demonstre aceitação: um casaco ou jaqueta aberto, por exemplo, expõe o coração de maneira literal e simbólica. Quando usados juntos, esses gestos dizem: "As coisas estão bem". Gestos positivos e de corpo aberto alcançam as outras pessoas e são geralmente lentos e deliberados. Quando uma pessoa aberta faz contato com o coração de outra, uma forte conexão se estabelece e a confiança se torna possível. (Sabe a sensação de um bom abraço? Ou de uma conversa de coração? Você pode conseguir muito dessas mesmas sensações usando uma linguagem corporal aberta.)

> Quando você encontra alguém novo, imediatamente aponte seu coração de maneira amigável ao coração da outra pessoa. Há magia nisso.

Outros gestos abertos comuns incluem ficar de pé com suas mãos em seus quadris e os pés separados, uma postura que mostra entusiasmo e disposição, e mover-se para a frente na sua cadeira (se acompanhado de outros gestos abertos). Inclinar-se para a frente mostra interesse, descruzar seus braços ou pernas sinaliza que você está aberto a sugestões.

Linguagem corporal fechada

Nota-se postura defensiva mediante gestos que protegem o corpo e defendem o coração. Esses gestos sugerem resistência, frustação, ansiedade, teimosia, nervosismo e impaciência. São gestos negativos, que dizem “NÃO!”.

Braços cruzados são comuns em todas as manifestações defensivas. Eles escondem o coração e defendem os sentimentos da pessoa. Embora você também possa estar relativamente relaxado com os braços cruzados, a diferença entre uma posição relaxada e uma posição defensiva está nos gestos que a acompanham. Por exemplo, seus braços estão dobrados folgadamente ou pressionados próximos ao corpo? Suas mãos estão cerradas ou abertas?

Gestos defensivos normalmente são rápidos e evasivos, alheios ao seu controle consciente. Seu corpo tem uma mente própria e é comandado por sua atitude, seja ela útil, seja ela inútil. Além dos braços cruzados, os gestos defensivos mais óbvios são evitar contato visual com a outra pessoa e virar o corpo de lado. Movimentos inquietos são outro exemplo de gesto negativo, e podem também demonstrar impaciência ou nervosismo.

De imediato, você pode ver a diferença entre uma pessoa que o encara de maneira direta e honesta e outra que se posiciona de lado, com os braços cruzados e os ombros encolhidos enquanto vocês conversam. No primeiro caso, a pessoa está abertamente apontando seu coração diretamente ao seu. No segundo, a postura é defensiva; a pessoa está apontando o coração para longe de você e protegendo-o. Uma está sendo aberta com você; a outra, fechada. Estar na presença de cada uma dessas duas posturas produz sentimentos bem diferentes.

Gestos menores

Gestos com as mãos igualmente são parte do vocabulário da linguagem corporal. Eles também podem ser divididos em gestos abertos (reações positivas) e gestos fechados ou escondidos (reações negativas), embora seu escopo seja bem mais complexo e expressivo. Devo observar que gestos individuais, assim como as palavras nesta página, não dizem muito sem um contexto. Apenas quando você recebe mais de um gesto, talvez combinado com uma expressão e alguma outra linguagem corporal, pode concluir que um punho cerrado significa: "Uau, meu time ganhou as eliminatórias!", e não: "Estou tão bravo que quero estapeá-lo!".

Um conjunto similar de diferenças acontece na linguagem corporal acima do pescoço. O rosto aberto sorri, estabelece contato visual, responde, mostra curiosidade e levanta as sobrancelhas para demonstrar interesse. Em um encontro casual, um rápido olhar seguido de um baixar de olhos diz: "Eu confio em você. Não tenho medo de você". Um olhar prolongado reforça o sinal positivo. Em conversas, podemos usar um aceno de cabeça no final de uma afirmação para indicar que uma resposta é esperada.

Em contraste, uma cara fechada é denunciada por cenho franzido, lábios apertados e contato visual evasivo. E há ainda outra categoria negativa para acrescentarmos às reações faciais. Chamamos educadamente de rosto neutro, ou sem expressão. É aquele que apenas encara como um peixe morto. No próximo capítulo, você descobrirá como reagir a esse "não rosto", que pode ser muito desconcertante se você não souber como lidar com ele.

Muitas vezes, olho para as pessoas na plateia de minhas palestras e reconheço algumas que já me ouviram falar antes. Eu as reconheço porque elas exibem o "olhar do reconhecimento" em seus rostos quando me veem. É um olhar, ou mesmo uma atitude, de expectativa silenciosa de que a qualquer minuto eu as reconhecerei. Bem, esse olhar pode fazer maravilhas, de tempos em tempos, com pessoas que você nunca encontrou antes. Se você estiver sozinho, tente fazer isso agora. Deixe sua boca se abrir em um leve sorriso conforme suas sobrancelhas arqueiam e sua cabeça se move um pouco para trás em expectativa enquanto você olha diretamente para uma pessoa imaginária. Uma variação é inclinar a cabeça ao desviar o olhar um pouco e depois olhar para a pessoa com uma versão bem leve de uma cara fechada e/ou lábios apertados. Pratique. E então faça uma tentativa. Seja o mais sutil possível.

Na última primavera, aluguei um ônibus para que minha filha e suas amigas o usassem como transporte na noite da sua festa de formatura. Enquanto fazia o pagamento na empresa de locação, notei uma mulher sentada na mesa ao lado. Ela tinha em seu rosto um olhar que dizia que me conhecia, e eu vasculhei o meu cérebro tentando lembrar-me dela. Não consegui.

Por fim, tive que dizer: "Com licença, mas já nos encontramos antes?".

"Não", ela respondeu seriamente. Então, levantou-se de sua mesa, estendeu a mão para mim e sorriu. "Olá, eu sou a Natalie", ela disse.

Eu me senti compelido a falar primeiro, e ela fez a coisa educada: levantou-se, esticou a mão, sorriu e se apresentou. Tudo completamente inocente – ou não? Não tenho ideia. Mas tivemos uma afinidade, e ela me fez falar.

Flertando

O comportamento clássico do flerte envolve deixar alguém saber que você está interessado e gostaria de ir além. Não é nenhuma surpresa que a linguagem corporal desempenhe um papel enorme nesse jogo, e menos surpreendente ainda é o papel do contato visual. Vários pequenos gestos são usados para enviar mensagens sexuais: uma inclinação de cabeça, manter o contato visual por um pouco mais de tempo que o normal, o ângulo dos quadris, passar as mãos pelo cabelo. Olhar para o lado é um gesto que, individualmente, pode sugerir dúvida, mas, combinado a um leve sorriso e a um olhar ligeiramente apertado, é um gesto poderoso de flerte.

Um homem envia sinais com sua ginga; uma mulher, girando seu quadril. Um homem afrouxa a gravata levemente; uma mulher molha seus lábios. Sucessivamente, ambas as partes transmitem seu interesse uma pela outra por meio de suas posições, olhares e posturas, até que algum pequeno gesto sincronize e envie um OK.

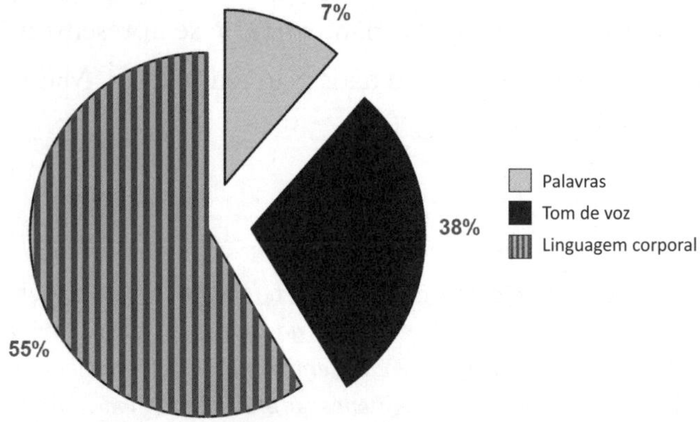

Congruência

Por que gostamos de grandes atores e os levamos a sério mesmo sabendo que só estão falando coisas que outra pessoa escreveu? Porque eles são convincentes; porque são congruentes.

Em 1967, Albert Mehrabian, professor emérito de Psicologia na Ucla, realizou o estudo mais citado sobre comunicação. Ele determinou que a credibilidade depende da consistência, ou congruência, de três aspectos da comunicação. Em um artigo intitulado "Decoding of Inconsistent Communication" [Decodificando a Comunicação Inconsistente], ele relatou as porcentagens contidas em uma mensagem expressada por nossos diferentes canais de comunicação da seguinte maneira: curiosamente, 55% das coisas a que reagimos acontecem visualmente; 38% são o som da comunicação; e 7% envolvem as palavras que realmente usamos.

Mensagens conflitantes

Rosa, uma garçonete, dobra o anúncio que rasgou de um jornal, limpa a mesa onde ficará o seu novo computador e sai do seu apartamento.

Na loja de eletrônicos, enquanto Rosa observa o último modelo de computador da Megahype, um jovem vendedor nota o anúncio na mão dela e se aproxima. Ele desabotoa a sua jaqueta, estica suas mãos com as palmas para cima e a mira nos olhos. "Vejo que você já o encontrou", diz ele com um sorriso. "Olá, meu nome é Tony".

Ao longo dos 10 minutos seguintes, um Tony relaxado e sincero fala com Rosa. Ele a encara com suas mãos expostas e se inclina na direção dela algumas vezes enquanto conversam sobre as características do computador. Rosa escuta com interesse, sua cabeça inclinada para um lado e uma mão em sua bochecha, enquanto Tony oferece 95 dólares de extras e até concorda em "tirar o imposto".

Por fim, passando a mão em seu queixo enquanto toma uma decisão, Rosa assente. "Sim", ela diz, "este é o modelo ideal para mim". "Ótimo", diz Tony, esfregando suas mãos com animação. "Vai levar cerca de cinco minutos para trazê-lo e encontrar algumas caixas."

Rosa olha de lado para ele e franze o cenho. "Você não tem um novo em uma caixa?"

"Pode ser difícil de encontrar um agora." As mãos de Tony se fecham e ele as coloca em seus bolsos. "Eles estão em uma oferta tão inacreditável que estão voando da loja." Ele abotoa sua jaqueta, encolhe os ombros e dá uma risada nervosa.

"Então, este é um modelo de mostruário?", Rosa inclina sua cabeça, indagando.

"Acabou de descer do estoque nesta manhã", Tony responde com um sorriso falso. Ele cruza os braços na frente de seu peito e se vira de lado, fingindo estar distraído com algo no departamento de TVs ali perto. Sua voz fraqueja e titubeia enquanto diz: "Ele tem a mesma garantia que um novo".

Rosa esfrega o nariz em dúvida. "Veio do estoque nesta manhã? Tá bom. Posso ter isso por escrito?"

Tony está virado de costas enquanto se inclina sobre o monitor, mexendo nos cabos – qualquer desculpa para não olhar para ela. Ele vê de relance sua própria imagem em um dos espelhos na parede. Nossa, que idiota que eu sou, ele pensa. Ele morde seu lábio e se vira para olhar para Rosa.

Mas Rosa já foi embora.

Como boa garçonete, Rosa está acostumada a interpretar a linguagem corporal. Ela viu que os gestos do vendedor conflitavam (não tinham congruência) com suas palavras, e ela sabia que deveria acreditar nos gestos. A mudança no tom de voz de Tony, de esclarecedor para suplicante, só serviu para confirmar a sensação de dúvida que ela tinha.

O professor chamou esses aspectos de três "Vs" da comunicação: visual, vocal e verbal. E, para serem convincentes, eles devem passar a mesma mensagem. Esta é a verdadeira base da afinidade planejada. Mais da metade de toda a comunicação é não verbal! É a aparência da comunicação, a nossa linguagem corporal, o que conta mais: a forma como agimos, nos vestimos, nos movemos, fazemos gestos e assim por diante.

Precisa de provas? Pense na última vez em que esteve com alguém de braços cruzados, batendo o pé e parecendo incomodado, e então bufou as palavras "estou bem". Em que sinais você acreditou? Nas palavras ou na linguagem corporal e no tom de voz? As mensagens físicas normalmente enviam uma mensagem muito mais clara do que as palavras faladas. Como 55% de sua comunicação é linguagem corporal, veja como é fácil, de maneira consciente ou não, sinalizar abertura ou uma atitude defensiva a outra pessoa mediante sua linguagem corporal. Os gestos, e não as palavras, são os verdadeiros indicadores de suas reações instintivas.

Se você quiser que os outros acreditem que você é confiável, você deve ser congruente. Sua linguagem falada e sua linguagem corporal devem dizer a mesma coisa. Senão, o corpo da outra pessoa sinalizará o desconforto ao seu corpo. Em resposta a essa comunicação, seu corpo enviará um sinal ao seu cérebro com um coquetel químico que corresponde ao desconforto que a outra pessoa está sentindo. Então, vocês *dois* se sentirão desconfortáveis, e será muito mais difícil chegar à afinidade. Quando notam uma discrepância entre suas palavras e gestos, outras pessoas acreditarão nos gestos e reagirão de acordo com eles.

Um exercício de congruência

Palavras *versus* tom

Diga cada frase abaixo com uma tonalidade diferente: raiva, tédio, surpresa e flerte. Observe como sua linguagem corporal, expressão facial e respiração se combinam para alterar seu estado emocional.

"Está tarde."

"Cansei."

"Olhe para mim."

"Onde você nasceu?"

Para assegurar-se de sua tonalidade, encontre um amigo e lhe diga uma ou duas dessas frases. Veja se ele adivinha qual desses quatro sentimentos você está expressando. Se não estiver óbvio, continue treinando até que esteja claro.

Então, a congruência ocorre quando seu corpo, seu tom de voz e suas palavras estão alinhados. Quando seu corpo, seu tom de voz e suas palavras comunicam a mesma coisa, você parecerá sincero e as pessoas tenderão a acreditar em você. É por isso que uma Atitude Realmente Útil é tão importante. Parecer sincero, ou congruente, é um ingrediente essencial para desenvolver a confiança que abre as portas para a amabilidade e a afinidade.

> Certifique-se de que suas palavras, sua tonalidade e seus gestos digam todos a mesma coisa. Fique atento à incongruência nos outros. Observe como ela te faz sentir.

Todos já vimos aqueles velhos filmes em que há pessoas viajando em um carro e o motorista não para de girar o volante, mesmo que as imagens de fundo mostrem uma estrada tão reta quanto uma seta. É tudo falso – você percebe que, na verdade, os atores estão em um estúdio sendo movimentados em uma caixa. Seus sentidos dizem que alguma coisa não está certa, algo não está alinhado, e assim você não pode acreditar no que vê. Ou você já se viu discutindo com alguém muito bravo e então, no meio do desentendimento, a pessoa exibe um ligeiro sorriso sinistro que desaparece com a mesma velocidade com que surgiu? Bem assustador. Esse é outro exemplo de comportamento incongruente. O sorriso não combina com a raiva, não é sincero.

Reconhecer o comportamento incongruente é outro instinto de sobrevivência. Se você está de férias e é abordado por um completo estranho que sorri para você enquanto esfrega as mãos rapidamente, lambe os lábios e diz: "Bom dia, você gostaria de investir no melhor acordo de copropriedade do mundo?", as chances são de que você desconfie. Uma rápida verificação de congruência é instintiva e representa outra razão pela qual as primeiras impressões são fundamentais.

Normalmente, as emoções e intenções de uma pessoa são mal compreendidas pelos outros à sua volta. Por exemplo, uma mulher em um dos meus seminários descobriu que usava inconscientemente um tom de voz incongruente com suas palavras. "Não, eu não estou confusa, estou interessada", ela costumava insistir quando era testada. E novamente: "Não, eu não estou triste, estou relaxada". Isso continuou até que ela ficou a ponto de chorar e disse: "Agora eu sei por que meus filhos sempre dizem: 'Mãe, por que a senhora está sempre brava com a gente?'. E eu *não* estou brava com eles. Algumas vezes estou só animada".

A mesma mulher também nos disse que seus colegas de trabalho a acusavam de ser sarcástica, mas, para ela, nada poderia estar mais distante da verdade. De fato, o sarcasmo são simplesmente palavras ditas com um tom de voz conflitante. É estruturado de uma forma que o receptor da mensagem detecte o que está subentendido pela tonalidade. Vamos supor que você tenha desapontado a sua equipe e alguém diga: "Isso foi brilhante", com uma tonalidade que transmite aborrecimento. É um caso muito diferente de quando você marca um golaço e a mesma pessoa diz com entusiasmo: "Isso foi brilhante!".

A congruência, portanto, envolve uma regra imutável, que é: se os seus gestos, o seu tom de voz e as suas palavras não dizem a mesma coisa, as pessoas acreditarão nos gestos. Vá até alguém que você conhece, aperte os lábios e diga: "Eu realmente gosto de você", com as sobrancelhas levantadas e os braços cruzados. Pergunte a essa pessoa o que ela acha. Melhor ainda, encontre um espelho e tente. E então? Acho que deu para entender o que quero dizer. Seus gestos são uma pista do que você realmente quer dizer.

Sendo você mesmo

Você se sente nervoso quando encontra alguém pela primeira vez? Do ponto de vista fisiológico, estar nervoso ou estar animado têm muito em comum: coração acelerado, estômago revirando, respiração pesada e agitação em geral. Porém, um desses estados pode te levar correndo para o canto mais escuro e o outro pode te fazer bem e te fazer progredir. Há uma tendência de o pânico acompanhar o nervosismo, e isso naturalmente acelera as atividades corporais. Como muito de nosso nervosismo vem de uma percepção aumentada do que está ao redor, tente redirecionar um pouco dessa percepção para se acalmar e sentir-se mais controlado. Uma ótima técnica é imaginar que suas narinas ficam logo abaixo do seu umbigo e que sua respiração acontece por lá. Quanto mais lentamente você respirar, dentro do razoável, mais no controle você parecerá estar.

Quanto mais cedo você começar a dizer a si mesmo que está animado em vez de nervoso, mais cedo será capaz de convencer seu subconsciente de que é realmente assim que você se sente. E, de fato, isso é tudo que importa. Mude sua atitude, e sua linguagem corporal e seu tom de voz mudarão para refleti-la. Tenha em mente que a maior parte das pessoas está tão ansiosa quanto você para estabelecer uma afinidade. Elas serão generosas em lhe dar o benefício da dúvida.

> Não se esforce demais! Em um estudo conduzido na Universidade de Princeton, estudantes de ambos os sexos foram questionados sobre seus métodos de avaliar as pessoas que encontravam pela primeira vez. O excesso de ansiedade foi um dos desestímulos mais relatados. Não sorria demais, não tente ser brincalhão em excesso, não seja educado em demasia e evite a tentação de ser condescendente.

À medida que você fica mais à vontade com suas atitudes, as pessoas passam a notar as suas características únicas – aquelas que o diferenciam dos outros e o definem como indivíduo. Você projetará de maneira natural e tranquila as partes agradáveis de sua personalidade singular e terá mais controle consciente e confiança em sua capacidade de criar harmonia quando assim desejar.

Todos os relacionamentos são construídos com base na confiança. A confiança é construída com base na congruência. Não importa se você está vendendo imóveis, projetando carros conceituais, recomendando costeletas de carneiro no lugar do chili, procurando o parceiro perfeito ou apresentando um discurso para a nação: você tem que se conectar totalmente com as pessoas. Conectar-se totalmente significa que, inconscientemente, as pessoas dirão a si mesmas: "Eu confio em você, você faz sentido e mexe comigo". Destas três, a confiança sempre vem primeiro. Sem a congruência, você nunca poderá fazer alguém gostar e confiar em você em até 90 segundos.

6 – As pessoas gostam de pessoas como elas

Meu vizinho aqui na rua adora pescar. Assim como seus dois filhos, que, por sinal, se parecem com o pai e caminham como ele.

Que conexão! Nem eu nem os meus cinco filhos pescamos, mas compartilhamos o mesmo senso de humor. Que alívio! Minha tia na Escócia é médica, assim como sua filha. Elas pensam de maneira igual. Outra coincidência? O encanador em nosso bairro vem de três gerações de encanadores. A mulher que me vendeu um grande queijo gouda maduro na feira das quartas-feiras em Leiden, nos arredores de Amsterdam, trabalhava com sua mãe e sua filha. Todas vestidas com roupas iguais.

O que está acontecendo aqui? Há algum tipo de padrão? Por que essas pessoas são tão parecidas? Todas elas cresceram com comportamento harmonioso em muitos níveis, tanto físicos como mentais. Elas têm sincronia.

Desde que tinha três anos, o filho mais novo do meu vizinho manuseava a vara de pescar com enorme reverência, assim como o pai. Ele se senta de uma certa maneira, assim como seu pai, e, quando está colocando o anzol, olha para o pai algumas vezes para ver se está fazendo da maneira correta: uma certa expressão quase imperceptível diz "continue", outra diz "seja cuidadoso" e outra ainda diz "não, você entendeu errado". O menino usa seus próprios instintos para aprender com o pai, valendo-se também de uma orientação muito sutil advinda das expressões e da linguagem corporal do seu pai – e, às vezes, de sua voz gentil e encorajadora. Agora ele consegue fazer, assim como seu pai.

Sincronia natural

Nós aprendemos nossas habilidades para a vida a partir de orientação e afinidade com os outros. Conforme captamos continuamente sinais de nossos pais, colegas, professores, treinadores, programas de TV, filmes e de nosso ambiente, nosso comportamento é modulado e organizado, sincronizando-nos com a conduta dos outros e ajustando-nos ao seu *feedback* emocional. De maneira inconsciente, estamos nos sincronizando com outras pessoas desde o nascimento. Os ritmos do corpo de um bebê estão sincronizados com os de sua mãe. O humor de um bebê é influenciado pelo humor de seu pai, os brinquedos favoritos de uma criança são selecionados para acompanhar o ritmo de seus colegas, os gostos de um adolescente devem estar de acordo com o que é legal e as preferências de um adulto são influenciadas pelo parceiro, pelos amigos e pela comunidade.

Todos os dias nos sincronizamos com as pessoas à nossa volta. Fazemos isso o tempo todo. Nós prosperamos assim e não podemos existir sem isso. Estamos sempre influenciando o comportamento um do outro; a cada momento que passamos com outras pessoas, fazemos ajustes minuciosos no seu comportamento e elas, no nosso. Isso é sincronia. Processamos os sinais inconscientemente e os transmitimos uns aos outros por meio de nossas emoções. É assim que extraímos nossa força e convicções; é como nos sentimos seguros. É como evoluímos. E é por isso que as pessoas gostam, confiam e se sentem confortáveis com pessoas que são como elas.

> As pessoas contratam pessoas como elas.
>
> As pessoas compram de pessoas como elas.
>
> As pessoas namoram pessoas como elas.
>
> As pessoas emprestam dinheiro a pessoas como elas.
>
> E assim por diante – *ad infinitum*.

Talvez você já tenha notado que gosta de algumas pessoas imediatamente após conhecê-las, mas não sente nenhuma afinidade com outras. Você pode até sentir antipatia instantânea por algumas. Trata-se de algo que todos nós já vivenciamos, mas você já parou para se perguntar por que isso acontece? Por que, com certas pessoas, você imediatamente sente a confiança e o conforto naturais que vêm com a afinidade? Pense na semana passada, em algumas das pessoas que você conheceu em suas aventuras. Analise os encontros em sua mente e os reviva.

O que havia nas pessoas de quem você gostou que o fez gostar delas? Provavelmente, você compartilhou algo – interesses, atitudes ou maneiras de se movimentar. Pessoas que se dão bem umas com as outras geralmente têm coisas em comum. Aquelas que compartilham ideias semelhantes, que têm o mesmo gosto para música ou comida, leem livros semelhantes ou gostam dos mesmos feriados, hobbies, esportes ou locais de férias se sentirão imediatamente à vontade e gostarão mais umas das outras do que aquelas com quem não têm nada em comum.

Quando eu dou as minhas palestras, vou até uma grande lousa e escrevo:

I LIKE YOU!
(EU GOSTO DE VOCÊS!)

Em seguida, adiciono, entre as duas primeiras palavras, duas letrinhas, para que agora as pessoas leiam:

I *AM* LIKE YOU!
(EU *SOU COMO* VOCÊS!)

O fato é que gostamos de pessoas que são como nós. Ficamos à vontade com indivíduos que nos parecem familiares (de onde você acha que vem a palavra "familiar"?). Olhe para seus amigos próximos. Você se relaciona tão bem com eles porque vocês têm opiniões similares, talvez até formas similares de fazer as coisas. Claro, vocês também encontrarão com frequência muito sobre o que discordar e discutir, mas, de maneira geral, são bem parecidos uns com os outros.

As pessoas com interesses comuns têm uma afinidade natural. Se você compartilha um interesse por esportes motorizados com um dos caras do escritório, isso pode se tornar uma base para afinidade.

Ou talvez você tenha dois filhos pequenos e vá ao parque todas as tardes para se encontrar com outras mães nas mesmas circunstâncias; esta é novamente uma base para afinidade. Você já ouviu o ditado "Diga-me com quem andas que te direi quem és"? Bem, as pessoas simplesmente se sentem confortáveis quando estão cercadas por pessoas como elas.

A afinidade por acaso é verdadeira não apenas na superfície, mas também abaixo dela. Crenças, aparência, gostos e circunstâncias compartilhados contribuem para a afinidade. Talvez você se sinta confortável perto de pessoas cujo modo de falar é expressivo e fluente; talvez prefira pessoas sensíveis, que falam de maneira suave e mais vagarosa. Talvez você goste da companhia de pessoas que compartilham seus sentimentos quando se comunicam ou daquelas que vão direto ao ponto e não medem as palavras. Quando você estabelece afinidade por acaso, é certo que se deparou com alguém que cresceu com ou desenvolveu um estilo semelhante ao seu.

A arte de sincronizar

Mas por que esperar para que a afinidade aconteça naturalmente? Por que não ir direto para a sincronização com o comportamento das outras pessoas assim que as conhecemos? Por que não investir até 90 segundos de nosso tempo para estabelecer uma afinidade planejada?

Olhe ao redor de qualquer restaurante, cafeteria, shopping center ou outro local público onde as pessoas se encontrem e observe quais estão "com afinidade" e quais não estão. Aquelas que têm afinidade sentam-se juntas da mesma maneira. Observe como elas se inclinam umas em direção às outras. Observe as posições de suas pernas e braços. Aquelas que têm afinidade estão sincronizadas quase como dançarinas: uma pega uma xícara, a outra a segue; uma se inclina para trás, a outra faz o mesmo; uma fala baixo, a outra também. A dança segue: posição corporal, ritmo, tom de voz. Agora, procure pessoas que estão claramente juntas, mas não sincronizadas, e observe as diferenças. Quais pares ou grupos parecem estar se divertindo mais?

Recentemente, fiz uma palestra em um auditório em Londres e, bem ali, cerca de dez fileiras atrás, havia um belo casal. Ambos estavam perfeitamente vestidos, com uma grande atenção às cores e aos detalhes. Quando reparei neles, estavam sentados na mesma posição, inclinados para a direita, com as mãos cruzadas junto aos respectivos apoios de braço. Então, como se respondendo a um sinal previamente combinado, os dois transferiram seu peso para o outro apoio de braço, como atletas de nado sincronizado, balançando a cabeça e sorrindo ao mesmo tempo. Eles confirmaram tudo que eu estava dizendo. Conversei com eles depois e soube que estavam casados há 47 anos; eles estavam em forma, saudáveis, felizes e totalmente sincronizados.

Nosso objetivo, então, é descobrir a estrutura de sincronia e modificá-la para aplicar aos diferentes tipos de pessoas que encontramos. A chave para estabelecer afinidade é aprender como sincronizar o que o professor Mehrabian chamou de três "Vs" da comunicação humana consistente – visual, vocal e verbal – para que possamos nos conectar com outras pessoas ao nos tornarmos o mais parecidos possível com elas.

Mas isso não significa que estou sendo falso ou insincero? Não. Você está fazendo algo que acontece naturalmente. Quando uma árvore cai sobre alguém no filme do cinema, você se encolhe. Quando um lutador de artes marciais é chutado no estômago, você estremece. Quando alguém sorri para você, você sente necessidade de sorrir de volta; alguém boceja, você também quer bocejar; o mesmo vale para o choro. As pessoas sincronizam de maneira inconsciente durante todo o dia.

Sincronizar é uma forma de se adaptar aos outros. E, lembre-se, estamos falando de apenas 1 minuto e meio! Ninguém está lhe pedindo que crie uma mudança total de personalidade. Tudo o que você está fazendo é acelerar o que aconteceria naturalmente se tivesse mais tempo. A ideia não é tornar seus movimentos, tom de voz e palavras cópias óbvias dos da outra pessoa, mas sim fazer o mesmo tipo de coisa que você faria com um amigo.

Muitas vezes, quando você viaja para um país estrangeiro, o plugue do seu secador de cabelo ou barbeador elétrico simplesmente não se encaixa na tomada – você precisa de um adaptador para fazer o aparelho funcionar, um dispositivo de conexão que se encaixe na tomada para ligar o aparelho. É exatamente a mesma coisa que acontece quando você se liga a outra pessoa. Como o secador ou o barbeador, você precisa de um adaptador. Então, pense que a sincronização é como um adaptador que permite que você faça conexões fáceis à vontade e rapidamente. Sincronizar é uma forma de fazer com que a outra pessoa fique aberta, relaxada e feliz por estar com você. Você apenas faz o que eles fazem; você se torna como eles até que a outra pessoa pense: *eu não sei o que essa pessoa tem, mas é algo de que eu realmente gosto!*

> Imagine a sincronização como o ato de remar seu barco ao lado do barco a remo de outra pessoa, apontando-o na mesma direção, na mesma velocidade e seguindo o ritmo, as braçadas, o padrão de respiração, o humor e o ponto de vista da outra pessoa. Conforme ela rema, você rema também.

Certa noite, há alguns anos, eu estava sentado no chalé de um clube de esqui, esperando meus dois filhos mais novos terminarem de esquiar. De repente, entrou um vizinho, um advogado que até então apenas cumprimentava por educação a mim e à minha família. Quando o vi chegar, resolvi tentar alguma sincronização simples com ele. Decidi qual era o desfecho que buscava (lembre-se: saiba o que você quer) e que continuaria sincronizando até que ele fizesse um gesto taxativo de amizade. Eu me levantei calmamente e ele me viu. Nós nos encontramos no meio da grande sala.

"Olá", disse ele, com um sorriso de boca fechada enquanto apertava minha mão.

Combinando com o tom geral de sua voz e sua postura corporal, eu respondi: "Olá!".

Ele colocou uma das mãos no quadril e, com a outra, apontou para a janela do chalé. "Só esperando meus filhos terminarem!"

"Eu também", eu disse, imitando seus gestos. "Estou esperando meus filhos terminarem."

Eu sincronizei com ele, respeitosamente, por menos de 30 segundos de conversa normal e inocente. Então, ele deixou escapar: "Sabe de uma coisa? Nós realmente não nos encontramos como deveríamos. Por que você e sua família não vêm jantar conosco uma noite?".

Acertamos a data ali mesmo. Quase pude ler o que aconteceu pela forma como sua boca se torceu. Ele estava pensando: *Há algo sobre este cara de que eu realmente gosto, mas não tenho muita certeza do que é.* Obviamente, se ele achasse que eu o estava imitando, ele nunca teria feito o convite!

Eu tinha me aproximado dele com uma Atitude Realmente Útil calorosa, e, embora estivesse sincronizando com ele, me mantive bem perto da superfície. Eu o encarei e imediatamente assumi sua postura geral e usei gestos e expressões faciais semelhantes. A parte vocal – seu tom de voz e a velocidade do discurso – foi fácil de alinhar. E eu usei palavras similares. Parece mais complicado do que realmente foi. A coisa toda durou apenas alguns segundos. Foi divertido e agradável. Eu realmente queria conhecê-lo melhor e essa parecia a oportunidade perfeita. Tenho certeza de que nós dois experimentamos a sensação que apenas as pessoas podem gerar em pessoas – o entusiasmo de estabelecer novas conexões. Não há absolutamente nada neste mundo tão empolgante e gratificante quanto nos conectar e desenvolver uma afinidade que possa levar a uma nova amizade ou relacionamento.

O valentão

O sr. Szabo, dono de uma grande rede de supermercados, é bem conhecido no setor por seu jeito intimidador. Um dia, ele convocou os gerentes de produto de três marcas concorrentes e reconhecidas nacionalmente para encontrá-lo em uma de suas lojas. Ele conduziu os três gerentes até o corredor em que seus produtos estavam expostos e começou a repreendê-los pelo suposto estado vergonhoso de apresentação de seus produtos. Enquanto ele agitava os braços, apontando o que estava errado, levantava e baixava a voz, parando de vez em quando para encará-los individualmente e até mesmo cutucando o ombro de um deles, Paul, com o dedo. No final de sua bronca, dois dos indivíduos intimidados assentiram e pediram desculpas, o que deu ao sr. Szabo ainda mais munição para usar contra eles.

Desde que o sr. Szabo iniciara seu discurso inflamado, Paul sincronizou-se habilmente com o humor e os maneirismos gerais do sujeito. Quando chegou o momento de responder ao proprietário furioso, ele quase se tornou o sr. Szabo, mas de uma maneira completamente não ameaçadora. Ele usou gestos, tom de voz, pausas e atitudes semelhantes, e até mesmo cutucou o sr. Szabo no ombro ao dizer: "O senhor está absolutamente certo".

Enquanto conversavam, Paul foi acalmando os seus próprios gestos e o sr. Szabo fez o mesmo. Quando eles terminaram de falar, o sr. Szabo colocou o braço em volta do ombro de Paul e o conduziu até o final do corredor. Lá, ele chamou um dos funcionários da loja e disse-lhe: "Dê a este homem toda a ajuda de que ele precisar".

Paul inseriu-se com sucesso no mundo do sr. Szabo e o conduziu de maneira rápida, habilidosa e respeitosa ao seu próprio resultado desejado.

E quanto a pessoas difíceis? Muitas vezes me perguntam o que fazer quando encontramos alguém totalmente envolto em uma atitude defensiva: mandíbula rígida, braços cruzados de maneira defensiva ou mãos enfiadas nos bolsos. Ou sobre a melhor maneira de lidar com um valentão, uma pessoa tímida, alguém que está reclamando ou alguém arrogante ou excessivamente agressivo. Não é objetivo deste livro fornecer instruções detalhadas sobre como lidar com pessoas difíceis, mas aqui vão algumas orientações.

A regra número um ao encontrar uma pessoa difícil é fazer a si mesmo a seguinte pergunta: "Eu realmente preciso lidar com esta pessoa?". Se a resposta for não, então deixe-a em paz. Se a resposta for sim, pergunte-se o que você quer. Qual é o resultado que você espera? Não o que você *não* quer. Ao sincronizar com "pessoas difíceis", é vital que você faça isso de uma forma não ameaçadora. Depois de alinhar seu corpo e tom de voz com os dela, você pode começar a "conduzi-la" para fora disso. Descruze os braços, relaxe os ombros e verifique se ela segue o seu exemplo;

se não o fizer, volte à posição original por 1 minuto ou mais e tente novamente.

Um toque sobre pessoas tímidas: tente descobrir no que elas estão interessadas. Sincronize com seus movimentos corporais e tom de voz e faça sem pressa muitas perguntas abertas (consulte o próximo capítulo) até obter um vislumbre de entusiasmo. Assuma a atitude delas e, aos poucos, leve-as para fora dessa atitude. Incline-se ou sente-se para a frente e veja se elas fazem o mesmo; senão, volte para onde você estava e sincronize tudo o que puder. Você ficará surpreso em ver como isso funciona bem.

Quando eu começo a sincronizar? Tente não deixar que mais de 2 ou 3 segundos se passem antes que você comece. Lembre-se da sequência do Capítulo 2: Abrir (Atitude Realmente Útil e linguagem corporal aberta) – Coração (apontado para a pessoa) – Olhos (seja o primeiro a fazer contato visual) – Sorrir (seja o primeiro a sorrir) – "Oi!" (apresente-se) – Inclinar-se (indique interesse conforme começa a sincronizar).

Qualquer coisa que aumente o interesse comum e reduza a distância entre você e a outra pessoa é uma coisa boa, e a maneira mais rápida de fazer isso é sincronizar-se com ela – em outras palavras, adote a mesma atitude, linguagem corporal geral e tom de voz.

Sincronizando a atitude

Sincronizar a atitude – ou congruência múltipla, seu nome científico – leva em conta o local e o humor. Também é frequentemente um apoio, como quando um amigo é desafiado e você "toma uma posição" com ele, ou quando um pai se relaciona profundamente com o problema de um filho em uma tarefa da escola, ou quando você compartilha a alegria que seu parceiro sente com uma promoção. Quando as pessoas "passam por coisas juntas", muitas vezes são sincronizadas com os mais primitivos suspiros de desespero ou gritos de alegria.

Capte os sentimentos das outras pessoas. Sincronize-se com seus movimentos, padrões de respiração e expressões enquanto se "identifica profundamente" com elas. Sintonize-se com o clima geral sugerido pela voz das pessoas e reproduza-o.

Sincronizando a linguagem corporal

Como você já sabe, a linguagem corporal é responsável por 55% da nossa comunicação. É o recurso mais óbvio, fácil e gratificante de sincronizar para se chegar à afinidade. Se você não conseguir nada mais com este livro além da capacidade de sincronizar-se com a linguagem corporal de outras pessoas, já estará quilômetros à frente de onde estava no mês passado.

Fazendo o que vem com naturalidade

Dave estava procurando um presente de aniversário para sua esposa. Ele direcionou seu pensamento a duas ideias. Tinha que ser o telefone celular mais moderno ou uma pintura para pendurar na sala de jantar. De onde Dave estacionara o carro no shopping center, era mais conveniente visitar primeiro a loja de eletrônicos. Felizmente, era meio da manhã e a loja não estava muito cheia. Dave se aproximou do balcão, onde um vendedor com um colete chamativo cumprimentou-o sorrindo. Até aí, tudo certo. Quando o vendedor começou a explicar as diferenças entre todos os modelos mais re-

centes, ergueu a perna direita e a colocou em um banquinho que estava em algum lugar próximo dele. Então, inclinou-se pensativamente para o lado do joelho direito e continuou com as explicações. De repente, Dave mal podia esperar para sair dali. Não era falta de interesse, mas a posição de macho, com a perna levantada, estava completamente fora de sincronia com a sua própria postura e o fez sentir-se desconfortável. Foi uma história completamente diferente na galeria de arte. Dave parou diante de uma pintura que lhe agradara e adotou uma postura contemplativa: jogou seu peso em uma perna e cruzou os braços, mas manteve uma mão no queixo e um dedo enganchado em volta dos lábios. Depois de cerca de 1 minuto, ele percebeu que alguém estava parado quieto ao lado dele. Então, ouviu uma voz suave, solícita, dizer simplesmente: "Bonita, não é?".

"Sim, é", Dave respondeu com voz pensativa.

"Avise-me caso eu puder ajudar", disse a senhora ao seu lado. Ela saiu para outra parte da galeria.

Em 5 minutos, Dave comprou a pintura.

Parecia a coisa natural a se fazer.

Dave se sentiu confortável apenas de olhar para a pintura. A mulher apareceu ao lado dele, assumindo a mesma linguagem corporal e adotando a mesma atitude. Ela fez uma conexão perfeita, exercitando uma sincronia perfeita e sem esforço: 55% linguagem corporal, 38% tom de voz e 7% palavras – os três "Vs".

A sincronização da linguagem corporal se divide em duas categorias ligeiramente vagas: *correspondência*, que significa fazer a mesma coisa que a outra pessoa está fazendo (ela move a mão esquerda, você move a mão esquerda), e *espelhamento*, que significa, como o nome indica, mover-se como se você estivesse observando a outra pessoa no espelho (ela move a mão esquerda, você move a direita).

Talvez você esteja pensando: *Mas as outras pessoas não vão perceber que eu estou imitando o comportamento delas?* Na verdade, não, a menos que a imitação seja muito óbvia. Lembre-se: seus movimentos devem ser sutis e respeitosos. Se a pessoa enfiar o dedo na orelha e você fizer o mesmo, então, sim, ela provavelmente vai notar. Mas, quando alguém está concentrado em uma conversa, não percebe a sincronização sutil.

Gestos específicos. Os movimentos das mãos e dos braços são especialmente fáceis e naturais de sincronizar, mediante correspondência e espelhamento. Algumas pessoas levantam os ombros quando falam; outras acenam com as mãos enquanto se expressam. Faça o que elas fizerem. Se você achar desconfortável no início, comece aos poucos, até que, com a prática, se torne um especialista em sincronização. Só o fato de perceber esses diferentes tipos de gestos já é um grande passo rumo a fazer as pessoas gostarem de você em até 90 segundos.

Postura corporal. A postura geral é conhecida como a atitude do corpo. Ela mostra como as pessoas se apresentam e é um bom indicador do estado emocional. É por isso que, às vezes, nos referimos a isso como "adotar uma postura". Quando você consegue adotar com precisão a postura de uma pessoa, pode ter uma boa ideia de como ela se sente.

Movimentos corporais em geral. Seja em uma entrevista de emprego ou ao puxar conversa em um evento de arrecadação de fundos para o museu, observe os movimentos corporais das pessoas e, em seguida, espelhe-os ou corresponda a eles sutilmente. Se avistar uma perna cruzada, cruze uma perna; se a pessoa se encostar no piano de cauda, faça isso também. Se ela estiver sentada de lado na banqueta, sente-se de lado; se estiver de pé com as mãos nos quadris, faça o mesmo. Movimentos corporais como inclinar-se, caminhar e girar são facilmente sincronizados.

Inclinações e acenos de cabeça. Estes são os movimentos mais simples de sincronizar. Os fotógrafos de moda sabem que a maior parte da "sensação" de uma foto de capa incrível vem da "insinuação" criada por inclinações sutis e acenos de cabeça. Claro, o rosto é importante, mas são os ângulos que transmitem a mensagem. Dedique bastante atenção a eles. A maioria dos bons médicos e terapeutas descobre que sincroniza inclinações e acenos sem pensar muito a respeito. Isso diz ao paciente: "Estou ouvindo, sei o que você está dizendo e sinto por você".

Expressões faciais. Adicionalmente às inclinações e aos acenos de cabeça, expressões faciais sincronizadas mostram concordância e compreensão. Elas ocorrem naturalmente. Quando ele sorri para você, sua inclinação natural é sorrir de volta. Quando ela mostrar surpresa com olhos arregalados, devolva a mesma expressão. Olhe em volta no próximo almoço ou jantar a que comparecer e observe como aqueles com afinidade mais profunda estão fazendo isso o tempo todo. É uma maneira fácil, natural e infalível de fazer alguém gostar de você em até 90 segundos. Você pode corresponder com a mesma intensidade e o mesmo tipo de contato visual. Pode ser passageiro, direto ou tímido; seja o que for, receba e devolva da mesma maneira.

Respiração. Preste atenção na respiração. É rápida ou lenta? Ocorre no alto do peito, na parte de baixo do peito ou vem do abdômen? Geralmente, você pode dizer como as pessoas estão respirando apenas ao observar seus ombros ou as dobras de suas roupas. A sincronização com a respiração pode ser calmante e reconfortante para elas.

Um exercício de sincronia

Em sincronia e fora de sincronia

Para este exercício, você precisará de mais duas pessoas: A e B. A será o primeiro a agir; B sincronizará suas ações com as de A. Você começa como diretor.

Sentados, em pé ou caminhando, A e B conversam casualmente sobre qualquer assunto. A faz questão de se mover o suficiente para dar a B alguns movimentos corporais e gestos para sincronizar. Após cerca de 1 minuto, peça a eles que interrompam a sincronia. Neste ponto, B deliberadamente não corresponde aos movimentos de A. Após mais ou menos 1 minuto, instrua B a entrar em sincronia novamente. E aí, depois de mais 1 minuto, diga-lhes para novamente interromper. Por fim, faça com que eles voltem a sincronizar antes de terminar.

Agora troque de lugar com A ou B. Continue fazendo essa rotação para que cada um de vocês assuma uma função diferente no exercício. Compare as observações ao final de cada rotação. Os comentários provavelmente serão semelhantes a estes: "Quando interrompi a sincronização, foi como se uma enorme parede tivesse sido erguida entre nós" e "Quando paramos de sincronizar, o nível de confiança despencou".

Você também pode tentar fazer isso sozinho. Sincronize com alguém por alguns minutos e, em seguida, deliberadamente, não corresponda a seus movimentos por 1 minuto antes de voltar à sincronia mais uma vez. Entre e saia de sincronia à vontade e observe a diferença; será tangível.

Conduzindo

Quando você está sentado conversando com um amigo, um de vocês pode cruzar uma perna e o outro pode fazer o mesmo sem pensar. Isso significa que um de vocês está sendo conduzido pelo outro, o que é um sinal claro de que vocês dois estão em harmonia.

À medida que você rapidamente se torna proficiente em sincronização, pode fazer um teste para descobrir se está indo bem em estabelecer afinidade. Depois de 3 ou 4 minutos, sem importar o que aconteceu antes e sem a outra pessoa estar ciente do que você está fazendo, faça um movimento sutil que seja independente da sua sincronização – incline-se para trás ou cruze os braços e talvez incline a cabeça. Se a outra pessoa fizer o mesmo, então vocês estão sincronizados e têm afinidade, e a outra pessoa está subconscientemente seguindo a sua *liderança. Se você inclina a sua cabeça, ela inclina a dela. Se você cruza as suas pernas, ela cruza as dela. Apenas mude o que está fazendo – faça um movimento, altere seu tom de voz – e observe se a outra pessoa corresponde ou espelha o que você faz. Desta forma, você pode verificar se estão em harmonia. Se a outra pessoa não seguir a sua liderança, volte a sincronizar-se com seus movimentos por alguns minutos e tente novamente até que funcione.*

Eu ensino voluntários que acompanham pacientes com câncer a ter afinidade com aqueles que estão sob seus cuidados. Essa é a primeira coisa que destaco. Inspire e expire com eles. Então, quando você falar, deve fazer isso na "expiração", o que tem um efeito muito calmante.

Ritmos. A mesma regra se aplica a qualquer coisa rítmica. Se ela bater com o pé, bata com o lápis; se ele acenar com a cabeça, dê um tapinha em sua coxa. Nas circunstâncias certas e com aplicação criteriosa, isso funciona bem, desde que se esteja além da percepção consciente. Do contrário, o próximo som que você ouvir pode ser o da porta se fechando – ou pior. Apenas use bom senso e discrição.

Sincronizando a voz

A voz é responsável por 38% da comunicação cara a cara. Ela reflete como uma pessoa está se sentindo; em outras palavras, reflete sua atitude. As pessoas confusas *soarão* confusas, as pessoas com uma atitude curiosa *soarão* curiosas. Você pode aprender a sincronizar esses sons.

Tom. Observe as emoções transmitidas pelo tom de voz. Conecte-se a essas emoções, sinta-as e use o mesmo tom.

Volume. A outra pessoa fala em voz baixa ou em voz alta? O valor de sincronizar o volume não está tanto em fazê-lo, mas no que pode acontecer se você *não* fizer isso. Se você naturalmente fala alto e de maneira animada e conhece alguém que fala de maneira mais suave e reservada, nem é preciso dizer que a outra pessoa se sentiria muito mais à vontade com alguém que falasse no mesmo tom delicado. Por outro lado, alguém mais falastrão, jovial e agressivo certamente encontraria muitos pontos em comum com quem irradiasse um grau comparável de exuberância.

Velocidade. A outra pessoa fala rápido ou devagar? Um indivíduo pensativo e que fala lentamente pode ficar completamente perturbado ou confuso com alguém que fale rápido, da mesma forma que um indivíduo de fala lenta e pesada pode levar um pensador rápido ao ponto da distração. Falar na mesma velocidade da outra pessoa faz tanto sentido quanto andar na mesma velocidade.

Frequência. A voz sobe e desce? A frequência da voz é uma forma de mudar o nível de energia de alguém. Quando você aumenta a frequência e o volume, fica mais animado. Quando os diminui, você se torna mais calmo, a ponto de chegar à intimidade de um sussurro.

Ritmo. A voz está fluindo ou soa desarticulada? Algumas pessoas têm uma maneira melódica de falar, enquanto outras têm uma fala mais pragmática e metódica.

Palavras. Existe ainda uma área mais poderosa que podemos sincronizar, que leva em conta o uso das palavras preferidas de uma pessoa. Abordaremos esse mundo fascinante no Capítulo 9.

A sincronização permite que você se identifique profundamente com outras pessoas e obtenha uma melhor compreensão do que querem dizer. Pratique a sincronização em todas as suas atividades, esteja você em uma entrevista, em um ponto de ônibus, lidando com seus filhos, acalmando um cliente insatisfeito ou conversando com o caixa do banco, seu instrutor de ioga, o atendente do bar. É improvável que você fique sem parceiros. Faça disso parte de sua vida pelos próximos dias até que você seja competente sem tentar – até que isso se torne natural.

Parte III
Os Segredos da Comunicação

7 – Não é apenas sobre falar – é sobre escutar também

Bem, é isso! Você acabou de se apresentar a uma nova pessoa. Você se lembrou de abrir a sua linguagem corporal e de manter seu corpo, tom de voz e palavras voltados a dizer a mesma coisa. Você foi o primeiro a fazer contato visual e o primeiro a sorrir. Você se apresentou e – milagre dos milagres – 3 segundos depois ainda consegue se lembrar do nome da outra pessoa. Você começou a sincronizar e se sente confiante de que a afinidade está se desenvolvendo. Mas e agora?

É hora da conversa! A conversa é uma forma muito significativa de estabelecer afinidade e criar laços de amizade. Ela é formada de duas partes igualmente importantes: falar e escutar. Ou, como você logo verá, fazer perguntas e escutar atentamente.

Você talvez já tenha passado por uma situação em que queria falar com alguém, mas de repente viu-se mudo e inibido para fazer isso. Quem sabe tenha sentido o estômago afundar ao tomar seu assento no avião ao lado de uma pessoa interessante, mas sem conseguir pensar em uma maneira de começar a falar sem se sentir constrangido. *O que ela vai pensar de mim? Eu sou chato? Estou incomodando?* E, mais importante: *Como devo começar?*

A ideia é fazer a outra pessoa falar, e então descobrir o que é importante para ela e sincronizar-se de acordo. Esse é o reino do bate-papo, o território de caça da afinidade. É aqui que você buscará interesses comuns e outros pontos de partida para estabelecer uma afinidade. Se as grandes conversas envolvem discussão de coisa séria, como o desarmamento nuclear e questões políticas, o bate-papo é todo o resto: seu site pessoal, a reforma do banheiro, uma multa por excesso de velocidade ou a cor do novo carro esportivo de sua prima Marisa.

Pare de falar e comece a perguntar!

É por meio da conversa que abrimos as outras pessoas para ver o que há dentro, para lhes enviar alguma mensagem ou ambos. E as perguntas são o motor de arranque das conversas. Saiba, no entanto, que existem dois tipos de perguntas: as que abrem as pessoas e as que fecham. As perguntas funcionam com incrível facilidade e os resultados são praticamente garantidos, então esteja certo de saber qual é qual.

Aqui está a diferença. Perguntas abertas necessitam de uma explicação, portanto, exigem que a outra pessoa fale. Perguntas fechadas demandam uma resposta do tipo "sim" ou "não". O problema com as perguntas fechadas é que, quando você recebe uma resposta, volta ao início – e tem que pensar em outra pergunta para manter algum tipo de conversação.

> Uma fórmula simples para iniciar uma conversa: comece com uma afirmação sobre o local ou a ocasião, e então faça uma pergunta aberta.

É uma boa ideia preceder uma pergunta aberta com uma afirmação inicial. O melhor tipo de afirmação que leva à afinidade é aquela ligada a algo que você e a outra pessoa tenham em comum: o encontro ou reunião de que vocês estão participando, algum evento atual fascinante – até falar sobre o clima deve bastar! A isso chamamos afirmação de local/ocasião. Os exemplos incluem: "Que sala elegante", "Olha toda essa comida", "Foi uma cerimônia maravilhosa", "Minha esposa sabe de cor algumas obras suas no piano", "Ele nunca soube o que o atingiu". Esse tipo de coisa. E, então, é hora da pergunta aberta: "De onde você acha que esses vasos vieram?", "Você o conhece bem?".

O próprio fato de sua pergunta ser aberta garantirá que você rapidamente receba informações valiosas.

Use palavras de abertura. Uma boa conversa é como uma divertida partida de tênis, com as palavras sendo jogadas de um lado a outro enquanto houver interesse mútuo.

Quando as palavras vão para fora da quadra, é hora de fazer um novo saque. Uma pergunta aberta é o equivalente a um bom saque.

Perguntas abertas começam com alguma dessas palavras geradoras de conversa: *Quem? Quando? O quê? Por quê? Onde? Como?* Essas palavras chamam uma explicação, uma opinião ou um sentimento: "Como você sabe disso?", "Quem te contou?", "De onde você acha que esta informação vem?", "Quando você chegou a essa conclusão?", "Por que eu deveria me interessar?", "O que essas palavras fazem de bom?". Elas nos ajudam a estabelecer uma afinidade e a fazer conexões porque obrigam a outra pessoa a começar a falar e se abrir.

Você pode potencializar o efeito dessas palavras geradoras de conversa adicionando à pergunta verbos sensoriais específicos: ver, contar e sentir. Ao fazer isso, você está pedindo à outra pessoa que vasculhe a sua imaginação e traga algo pessoal para mostrar a você. "Onde você se *vê* a essa hora no ano que vem?", "*Conte-me* por que você decidiu ir a Bali nas suas próximas férias", "Como você se *sente* em relação a lulas?".

Evite palavras de encerramento. Palavras deste tipo farão com que você jogue tênis sozinho contra uma parede de tijolos. Elas são o oposto das palavras de abertura: Você está...? Você faz...? Você tem...?

Em outras palavras, qualquer forma de pergunta contendo os verbos "ser", "ter" e "fazer" encerrará suas chances de uma conversa que induza à afinidade. Perguntas que incluem esses verbos demandam respostas de uma palavra: "sim" ou "não." E aí, o que acontece? Você tem que fazer outra pergunta. Você não vai chegar a lugar algum:

"Você tem certeza?"

"Sim."

"Você vem aqui sempre?"

"Não."

"Você já pensou como seria maravilhoso poder largar tudo e ir fazer *bungee jump* no meio da tarde?"

"Sim."

"Você percebeu que, não importa quão longas e interessantes suas perguntas sejam, se elas começam com palavras de encerramento, você provavelmente acabará com uma resposta de uma palavra?"

"Ah."

> Durante um dia inteiro, não faça mais nada a não ser perguntas, e então responda a essas perguntas com outras perguntas. Para ter variedade, faça apenas perguntas abertas. Você logo vai entender.

Para ser justo, as palavras de encerramento têm seu lugar – policiais, funcionários da alfândega e algumas outras autoridades são ensinados a usá-las para obter respostas "diretas". No entanto, gostaria de lembrar a qualquer um de vocês que já tenha tido o prazer de participar desse tipo de "conversa" que ela provavelmente não o fez gostar da outra pessoa em até 90 segundos!

Encontros ao acaso

Há momentos em que você se vê repentinamente empurrado para a presença de alguém que é bom demais para deixar passar. Esses momentos deliciosos parecem coincidir com o exato segundo em que seu cérebro congela e você fica apoplético: *Socorro, o que eu falo? O que eu faço? Como devo parecer? O que as pessoas vão pensar?* Mantenha essa linha de autoquestionamento e você começará a suar, seu coração ficará palpitante, o rosto enrubescerá como uma beterraba e a linguagem corporal denunciará sua confusão.

A mais conhecida dessas situações ocorre quando vocês dois são colocados juntos: em lugares um ao lado do outro em um trem, avião ou ônibus, talvez pegando o mesmo elevador, esperando em uma lavanderia ou no saguão de um hotel, trabalhando em estandes vizinhos em uma feira de negócios, vendo se os melões estão maduros no supermercado local. Em situações desse tipo, vocês já têm um pouco em comum para ser trabalhado.

"Oi", "Olá" e "Bom dia", acompanhados de um sorriso, são boas maneiras de começar e uma ótima forma de obter resposta. Um sorriso em resposta é uma boa indicação de que você está no caminho certo. Use um tom simples e moderado; mantenha-o cortês, alegre e casual. Não chegue perto demais nem seja muito íntimo, ou você pode ser excluído. Você quer que as pessoas digam a seus amigos: "Eu conheci um cara bem legal nesta manhã", e não: "Um pervertido nojento tentou me cantar hoje cedo".

Quando você perceber que a outra pessoa está reagindo de maneira favorável à interação, pode tentar algumas frases de abertura mais específicas. Não é surpresa que uma frase de abertura funcione melhor se envolver uma pergunta aberta, mas é possível que nem sempre você seja capaz de encontrar alguma que soe natural. Às vezes, você pode ter que começar com uma pergunta fechada ou uma afirmação de local/ocasião: "Você sabe a que hora este banco fecha hoje?" ou "Uau, que tempestade!". Então, certifique-se de ter uma pergunta aberta à mão para dar seguimento caso tudo que você consiga como resposta seja um "sim" ou "não".

A seguir, relacionamos alguns exemplos de "aberturas" que você pode tentar depois que já se disseram "olá" ou trocaram sorrisos. *Preceda todas essas perguntas por uma afirmação de local/ocasião.*

Em qualquer lugar

De onde você é?

Eu nunca estive lá antes. Como é? Como você veio parar aqui?

Em um trem, avião ou ônibus

Por quanto tempo você ficará em Duluth/Stratford/Majorca?

De onde você é?

Você sempre morou lá? *Se a resposta for "sim", tente*: Se eu tivesse apenas três horas, o que eu deveria conhecer por lá? *Se for "não"*: Então, onde mais você morou?

Por quanto tempo você vai viajar?

O que você acha destes novos ônibus/trens/aviões?

Uma nota interessante: quando encontram alguém pela primeira vez, os norte-americanos tendem a perguntar: "O que você faz?", enquanto os europeus preferem: "De onde você é?".

No supermercado

Se vocês dois estão parados na fila da peixaria, olhando uma prateleira de massas ou examinando os abacates, vocês já têm algo em comum.

Como é possível saber se há mexilhões suficientes para duas pessoas nesta embalagem?

Você pode me dizer a diferença entre massa fresca e esta que está na caixa?

Como posso saber se estes abacates estão maduros?

Você sabe onde eles deixam as sacolas para os produtos?

Você já experimentou este tipo de molho/sobremesa congelada/cogumelo antes? *Se "sim", então*: Qual é o gosto? *Se "não"*: Há algum outro tipo que você recomendaria?

Por quanto tempo você assaria um frango desse tamanho?

Eu esqueci de pegar polvo em conserva. Você se importa de guardar meu lugar na fila? *(Isso pode ser um bom quebra-gelo, porque você terá uma desculpa para conversar quando voltar – nem que seja sobre o polvo. Mas não demore, ou correrá o risco de irritar a outra parte.)*

Em um lobby de hotel

Você sabe onde posso arranjar um mapa?

Você já se hospedou aqui antes? *Se "sim"*: Como é? *Se "não"*: Nem eu. Por que você escolheu este hotel?

Você conhece alguma coisa desta cidade? *Se "sim"*: Eu tenho apenas um dia aqui. O que você acha que eu não posso perder? *Se "não"*: Então, o que o traz aqui?

Em uma convenção

Então, de onde você é?

Que palestras realmente chamaram sua atenção até agora?

Você conhece algum bom restaurante nas imediações do hotel?

O que você achou do palestrante principal?

Vou buscar um café. Gostaria que trouxesse um para você também? *(Nota: esta última aposta funciona em inúmeras situações como forma de sondar o nível de interesse das outras pessoas. Normalmente, se elas não estão interessadas, recusarão sua oferta. Se elas aceitarem, provavelmente quer dizer que estão dispostas a interagir por mais tempo.)*

Na lavanderia

Onde consigo trocados por aqui?

Você sabe onde posso comprar selos/suco de laranja/ração para gato?

Vou buscar um café. Gostaria que trouxesse um para você também?

Faz diferença mesmo misturar as roupas brancas com as coloridas?

Na fila do cinema/teatro/casa de shows

Por que você escolheu este filme/peça/show?

Então, você está aqui para ver a Scarlett Johansson ou o Jonathan Rhys Meyers?

O que você achou do último filme/peça/CD do ator/autor/artista?

Em uma exposição/museu/feira de negócios/festa da cidade

Uau, o que você acha *daquilo*?

Você sabe onde as locomotivas antigas estão? Qual é o seu evento/peça em exposição/atração favorito até agora?

Você já viu a abóbora gigante?

Que atração você recomenda para alguém que tem medo de altura?

Passeando com o seu cachorro ou vendo os outros passearem com os deles

Ele é adorável. De que raça é? Que coleira legal. Onde você a comprou?

Mas, então, como os chihuahuas se comportam realmente?

Dica: donos de cães normalmente acabam socializando em espaços públicos, mas não adote um cão a menos que você realmente ame os animais!

Encontrando alguém que você conhece, mas com quem nunca teve coragem de conversar

Oi, eu tenho dois ingressos para uma peça/circo/show e queria saber se você gostaria de ir comigo.

Oi, que legal te ver. Você tem tempo para um café?

Em todas essas situações, dê à outra pessoa cerca de três chances para interagir. Se, depois de três perguntas ou comentários, ela claramente não estiver reagindo com entusiasmo, não a incomode. Despeça-se de maneira educada dizendo algo simples, como: "Tenha um bom dia", "Aproveite o show", "Aproveite o resto do seu voo/ viagem/férias" ou qualquer outra coisa que seja apropriada.

Informações gratuitas

É, na verdade, muito fácil obter informações de graça de um estranho. Isso não significa tentar obter o número de cartão de crédito de alguém, mas o seu nome, os seus interesses, situação pessoal e assim por diante. Como você verá, quase todo mundo está mais do que disposto a fornecer essas informações se elas forem solicitadas da maneira correta.

De fato, as pessoas normalmente o seguirão na oferta de informações. É por isso que você diz o seu nome primeiro. E, quanto mais você oferecer, mais as outras pessoas retribuirão.

Se você disser: "Oi, eu sou o Carlos", provavelmente receberá: "Olá, eu sou o Paul".

Se você começar com: "Oi, eu sou o Carlos Garcia", você provavelmente receberá: "Olá, eu sou o Paul Tanaka".

E se você começar com: "Oi, eu sou o Carlos Garcia, amigo da Gail", Paul provavelmente responderá de uma maneira semelhante: "Olá, eu sou o Paul Tanaka, e trabalho com o marido da Gail".

Quando você adiciona marcadores de informação ao seu nome, as pessoas tendem a responder a eles porque você lhes ofereceu essa oportunidade. Se elas não responderem, você pelo menos preparou a situação. Elas sabem o que você quer, então ofereça um pouco de encorajamento. Uma sobrancelha levantada ou um "E você?" provavelmente as incitará.

Sinais perdidos

Mike chega à estação de trem 5 minutos mais cedo do que o normal. É uma manhã quente e enevoada e há cerca de vinte pessoas na plataforma. A maior parte das que normalmente aparecem ainda não chegou. Mike coloca o jornal embaixo do braço, mexe seu café com uma colher de plástico e então se vira e joga a colher na lata de lixo às suas costas. Conforme volta ao seu lugar, ele nota uma moça de cabelo castanho-avermelhado em um conjunto cinza-escuro andando em sua direção. A mulher para a cerca de três metros dele e se senta em um banco. Ela repousa sua pasta com cuidado no banco e olha para o relógio.

Mike lança um olhar de relance para ela, semicerrando os olhos e apertando os lábios levemente em admiração. Ele já se viu nesse tipo de situação mais vezes do que gostaria de lembrar: observando alguém de quem adoraria se aproximar, mas petrificado de medo com a possibilidade de fazer uma conexão. Neste momento, ele se lembra de que tudo que quer é iniciar uma conversa e fazer a moça falar. Seu objetivo não é jantar com ela hoje, nem viajar com ela no próximo sábado, nem se casar com ela no final do mês. É apenas dizer algumas palavras para verificar se ela seria amigável. Ele diz a coisa mais óbvia em que poderia pensar:

"Oi, você se importa se eu me sentar aqui?"

A mulher se afasta um pouco para a esquerda. "Não, não me importo", ela murmura. Mike se senta.

"Eu nunca te vi na estação antes", ele diz.

"É o meu primeiro dia", ela responde. "Arrumei um emprego em uma agência de publicidade na cidade."

"O trem fica bem cheio neste horário", Mike diz. "Mas às vezes a gente consegue um lugar para sentar durante todo o trajeto."

Mike deixou escapar as informações gratuitas. Primeiro dia, agência de publicidade. Ele deveria ter usado essas informações para evoluir na conversa: onde, o quê, por quê, quando, quem e como. O que você vai fazer lá? Quem são seus principais clientes? Onde fica a agência? Como você conseguiu o emprego?

Tudo bem, agora vamos tentar ver a mesma situação do ponto de vista de uma mulher.

Dorita, uma web designer, está caminhando pela plataforma e vê um homem atraente, embora de aparência cansada, sentado em um banco. Ela se senta do lado dele e observa que ele está lendo um livro de mistério de P. D. James, que é a escritora favorita dela! Ele sorri para ela quando ela se senta e, sabendo que provavelmente têm um interesse em comum, ela sorri de volta.

No entanto, o homem decide voltar à leitura. Dorita resolve iniciar a conversa.

"Então, você é fã de P. D. James?"

"Não", o homem diz. "Você acredita que este é apenas o segundo livro de mistério que eu leio?"

"E por que isso?"

"Eu não tenho muito tempo para ler. Sou médico-residente em um hospital na cidade."

"Bem, eu li todos os livros dela. É a minha escritora de mistério favorita, embora eu também goste bastante de Dick Francis."

Que tipo de resposta Dorita poderia esperar? A última coisa que saiu de sua boca foi uma série de afirmações, sem nenhuma pergunta. Dorita estava no caminho certo com sua segunda pergunta – uma pergunta "por quê" –, mas então ela ignorou a informação gratuita que o homem lhe tinha dado. Em vez disso, passou a falar sobre si mesma. Se ela estivesse escutando ativamente, teria seguido com: "Que hospital? Médico-residente em qual área? Por que você escolheu essa especialidade?". Em suma, perguntas com "onde", "o quê" e "por quê" teriam levado a uma continuação da conversa.

A ideia é reunir, de maneira respeitosa, o máximo de informações possível, primeiro oferecendo informações sobre si mesmo. Você pode usar essas informações para ampliar e aprofundar a sua afinidade. Isso é algo para se absorver. Você está ganhando impulso.

Escuta ativa

Escutar é o outro lado da moeda da conversa. Como um bom ouvinte ativo, você deve demonstrar que está realmente interessado na outra pessoa. A chave para ser um ouvinte ativo está em fazer um esforço verdadeiro para absorver o que aquela pessoa está dizendo e sentindo.

Escutar é diferente de ouvir. Você pode *ouvir* um violoncelo como parte de uma orquestra, mas, quando você ativamente *escuta* esse mesmo violoncelo, você está, de maneira consciente, focado em cada nota reproduzida por ele e absorvendo a emoção que ele transmite.

A escuta ativa é uma tentativa ativa de alcançar e compreender os fatos e os sentimentos subjacentes ao que está sendo dito. Não significa desistir de suas próprias opiniões e sentimentos, mas que você está lá para mostrar tanta empatia quanto possível. Você pode mostrar quanto é compreensivo ao dar um retorno apropriado. Escute com seus olhos. Escute com seu corpo. Acene com a cabeça. Olhe para a pessoa. Mantenha seu olhar aberto e incline-se. Incentive a outra pessoa verbalmente.

Uma distinção deve ser feita aqui entre a prática de escuta de "fraseado de papagaio" e a prática "ativa". Fraseado de papagaio, ou paráfrase, envolve devolver uma versão mais ou menos exata do que a outra pessoa acabou de dizer.

Paul: "Como você tem sido afetada pelo clima terrível dos últimos dias?"

Cathy: "Eu amo ondas de calor como esta, mas o cara com quem estou saindo está ameaçando se mudar para o Alasca sem mim, e acho que ele está realmente falando sério."

Paul: "Parece que, mesmo que você ame o calor, terá que se mudar para o Alasca se quiser ficar com esse cara."

A prática ativa significa responder aos sentimentos:

Paul: "Parece que você tem algumas grandes decisões a tomar. Não é inquietante? Como você vai lidar com isso?"

De maneira simples, com o "fraseado de papagaio", parece que você está apenas escutando, ao passo que, com a escuta ativa, as pessoas *sentem* que você está escutando e *sentem* que se preocupa.

Ofereça um *feedback* verbal. Envolva-se com o que a pessoa está dizendo. Esse tipo de *feedback* varia de "suspiros instintivos" e "interjeições familiares", como "Uau", "Ahá", "Ah" e "Humm" (como você pode imaginar, esses são difíceis de demonstrar em um livro), a reações completas, como "Ah, sério?", "E depois?" e "Você não está falando sério. E aí, o que ela fez?". Qualquer tipo de incentivo é bem-vindo em uma conversa; mantém a bola rolando e mostra que você está escutando, mesmo que não fale muito.

Ofereça um *feedback* físico. Use linguagem corporal aberta e encorajadora. Acene com a cabeça em sinal de concordância e use bastante contato visual, mas não fique encarando. Desvie o olhar, pensando (olhar para as mãos de vez em quando dá a impressão de participação). Se você estiver sentado em uma cadeira, mova-se para a parte da frente de seu assento e mostre estar interessado ou entusiasmado. Se você estiver de pé, aponte seu coração para a outra pessoa, acene com a cabeça de vez em quando e pareça pensativo, surpreso, entretido ou o que quer que sua Atitude Realmente Útil inspire como resposta apropriada ao que a pessoa está dizendo.

Dar e receber

Com a prática, uma conversa fácil e natural será algo normal para você. Aqui estão algumas dicas úteis para praticar conforme você se desenvolve e melhora. Primeiro, como sempre, assuma uma Atitude Realmente Útil. Seja curioso e mostre preocupação com os outros. Incentive-os a falar com você oferecendo um *feedback* sincero. Trabalhe para encontrar interesses, objetivos e experiências comuns e comunique-se com entusiasmo, conhecimento e interesse.

> Futilidade é fazer a mesma coisa repetidamente e esperar resultados diferentes.

Ao mesmo tempo, controle o seu próprio lado da conversa. Fale de maneira clara e assertiva. Diminuir a velocidade da sua fala o deixará mais confiante; uma demonstração discreta de seu senso de humor causa o mesmo efeito. É importante manter-se informado dos eventos atuais e dos problemas que afetam nossas vidas, por isso, leia o jornal todos os dias e esteja atualizado sobre o que está acontecendo no mundo; sobre as grandes questões, pelo menos. Em meus seminários, eu faço os participantes prepararem seu próprio "comercial de 10 segundos". É, na verdade, apenas uma maneira de dizer aos outros quem é você e o que você faz em algumas poucas frases.

Falando em cores

Toda conversa, grande ou pequena, é como pintar quadros com palavras a respeito de suas experiências para outras pessoas. Quanto mais vividamente você puder transmitir essas experiências, mais as pessoas te acharão interessante.

Aqui está uma descrição que pode ser usada sobre um evento rotineiro: "Ficamos na fila do bonde por mais de vinte minutos. Eu estava de saco cheio".

Não há nada aqui que excite a imaginação da outra pessoa. Em vez de falar em preto e branco, aprenda a falar em cores. Envolva o maior número de sentidos que conseguir na conversa. Descreva a aparência e a sonoridade das coisas, diga como elas o fazem se sentir e, se apropriado, discorra sobre o cheiro e o gosto que elas têm:

"Foi incrível ficar lá em silêncio entre todas aquelas pessoas. A chuva tinha acabado de parar, e meu colarinho estava úmido. As luzes dos edifícios brilhavam nas poças de água e o vendedor de cachorro-quente atrás da gente estava espremendo alguma coisa."

Eis uma linguagem rica em sentidos, e a imaginação – tanto a sua como a dos ouvintes – adora isso.

Seja você mesmo. As pessoas vão gostar de você por quem você é. Quanto mais você aprende a relaxar, mais fácil será.

Distribuindo elogios

Aceite todos os elogios graciosamente. Faça isso de maneira simples. De maneira direta. Evite a tentação de ser modesto ou indiferente demais. A resposta padrão a uma palavra de elogio é "Obrigado". Aí, se você escolher convertê-la em uma conversa, siga em frente e faça isso. Um elogio com um agradecimento interessante, mas não muito gracioso, pode ser o seguinte:

"Marion, essa é uma saia com uma costura linda."

"Obrigada, eu comprei por seis reais na loja do Exército da Salvação."

Uma resposta muito mais simples e que melhoraria a afinidade seria: "Obrigada, que gentil da sua parte ter notado". Tal elogio também deve ser reconhecido com contato visual, um sorriso e um tom de voz agradável.

Elogios são bons, desde que sejam sinceros. Elogios exagerados ou falsos destroem a credibilidade e colocam em perigo qualquer afinidade que tenha sido estabelecida. Bajulação barata, velhos clichês e comentários condescendentes cheiram a falta de sinceridade e podem ser recebidos como insultos. Por outro lado, uma expressão honesta de elogio pode reforçar a autoconfiança e até mesmo elevar a afinidade a um nível mais sincero e pessoal.

Se você notar algo bom ou interessante sobre alguém ou um desempenho que mereça elogio, ofereça-o. Evite palavras genéricas como "legal", "bom" e "ótimo". Não soa muito especial simplesmente dizer: "Ei, roupa legal". Por outro lado, "O azul realmente combina com você" soa bem melhor. "Você é uma pessoa tão boa" parece o início de uma conversa que terminará em rompimento de relacionamento. "Você traz à tona o melhor de cada um", isso sim é um elogio.

Um exercício de tonalidade

Efeitos sonoros

Seu tom de voz diz às outras pessoas como você está se sentindo, e uma tonalidade agradável pode afetar positivamente a maneira como elas respondem a você. Uma tonalidade agradável ocorre quando sua voz vem do fundo do seu corpo, de seu abdômen. É profunda, rica e contagiante, se comparada a uma voz monótona ou um zurro estridente.

Para melhorar sua tonalidade, pratique a respiração e a fala a partir do abdômen. "Respirar pela barriga", que usa seus pulmões ao máximo, é a maneira mais calma e saudável de respirar. Você respira mais devagar e com menos estresse. Compare com a respiração pelo peito, que é como cerca de 60% da população obtém o ar. A respiração pelo peito é uma respiração assustada, de lutar ou correr, apenas uma série de longas arfadas. Naturalmente, se você respira pelo peito, você falará pelo peito.

Coloque uma palma da mão gentilmente em seu peito e a palma da outra mão gentilmente em seu abdômen. Pratique a respiração até que a mão em seu abdômen, não a de seu peito, se mexa para dentro e para fora. Quando conseguir, retire suas mãos e continue respirando dessa maneira para o resto de sua vida. Você vai notar que, quando ficar nervoso ou empolgado, sua respiração voltará ao seu peito. Tenha ciência disso e a faça voltar ao abdômen; você imediatamente se sentirá mais calmo.

Repita esse exercício com suas mãos no lugar de onde sua voz se origina. Mova sua voz do seu peito para o seu abdômen. Deve soar mais baixa, rica e um pouco mais lenta, que é exatamente o que você quer para estabelecer afinidade instantânea e fazer as pessoas gostarem de você em até 90 segundos.

Elogios específicos normalmente são entendidos como mais sinceros do que elogios genéricos. "Ótima sopa" não animará tanto seu anfitrião ou anfitriã como: "Esse foi o sabor fresco de endro mais sutil que saboreei. Você conseguiu novamente!". Se você estiver elogiando um desempenho, esforce-se para fornecer detalhes. "Você esteve maravilhoso hoje" não é tão poderoso como: "Você lidou com aquela questão sobre a casa de repouso sem pestanejar. Foi uma estratégia impressionante".

Faça o seu elogio da mesma forma que cumprimenta: abra o seu coração e o seu corpo, olhe diretamente para a pessoa, fale com uma voz clara e entusiasmada, faça elogios específicos e lembre-se de dar à pessoa tempo para responder.

Evitando as armadilhas

Leia a lista de coisas que "não se devem fazer" a seguir. Se você se pegar fazendo qualquer uma delas, pode ter abandonado sua Atitude Realmente Útil ou escolhido uma atitude inútil por engano.

Não interrompa e não termine as frases da outra pessoa para ela, não importa quão entusiasmado ou impaciente você esteja.

Siga o conselho de Dale Carnegie. Não reclame, não condene e não critique.

Sempre que possível, evite dar respostas de uma palavra; elas geralmente não se qualificam como conversação e exercem uma forte pressão sobre a afinidade. As pessoas que monopolizam as conversas também passam por cima da afinidade porque deixam pouco ou nenhum espaço para que interesses comuns sejam detectados. Elas simplesmente parecem rudes ou chatas.

Não há nada tão desconcertante quanto conversar com alguém que está olhando para outro lugar. Se isso acontecer com você, peça licença o mais rápido possível. Pessoas que fazem isso são incongruentes e, francamente, rudes.

Por fim, tome cuidado com o mau hálito e todas as outras coisas desagradáveis relacionadas à higiene pessoal. Não há desculpas aqui. Bafo de onça, cê-cê e feijão nos dentes podem não torná-lo menos agradável para um *golden retriever*, mas não o ajudarão em nada na festa da empresa.

Tornando-se memorável

De que adianta encontrar alguém pela primeira vez, criar uma impressão favorável e estabelecer uma afinidade se duas semanas depois a pessoa já se esqueceu de você? É como escrever uma história incrível em seu computador e esquecer onde a salvou. Dê às outras pessoas um motivo para se lembrarem de você, e elas o farão. A mente adora fazer conexões.

Você deve se lembrar do estudo do professor Mehrabian sobre a credibilidade, que estabeleceu que a comunicação cara a cara é composta em 55% pela forma como parecemos, 38% pela forma como soamos e 7% pelas palavras que de fato usamos. Algo semelhante se aplica à memória. Estudos demonstram que aquilo que as pessoas veem exerce cerca de três vezes mais impacto do que aquilo que ouvem.

Faça a si mesmo estas perguntas: Como posso me destacar do restante? Existe uma persona ou algum pequeno toque de estilo que posso criar para mim? Há inúmeras coisas que podem lhe dar uma imagem: uma centáurea viçosa na lapela ou armações caras e discretas para seus óculos; lindos coletes, sapatos impecáveis, gravata-borboleta, os tamancos laranja de Mario Batali, o cabelo de Julianne Moore ou a risada de Goldie Hawn.

Uma amiga minha trabalha em uma rede nacional de grandes lojas que vendem computadores e aparelhos de som. "Eu costumava passar meia hora explicando as características de um produto", ela me disse, "e então o cliente ia embora para pensar a respeito. Ele voltava no outro dia, abordava a primeira vendedora que via e fazia a compra. Não importava que ele tivesse o meu cartão ou que eu havia dedicado tanto tempo a ele; a chance de ele retornar e vir falar comigo era baixa. Então, descobri uma maneira de ser memorável. Como eu sou de Newfoundland, passei a pedir aos clientes que chamassem pela 'Newfie' quando retornassem ou telefonassem para a loja". No Canadá, os "New-fies" usualmente são alvos de piadas idiotas e estereotipadas, mas minha amiga usou essa imagem verbal em seu benefício. É uma alavanca ou, se preferir, um recipiente para conter e acessar um pacote completo de informações previamente armazenadas.

Impressões duradouras

Jill e Robin, duas senhoras de meia-idade, estão sentadas à mesa, uma em frente à outra, em um restaurante francês. Elas estão no meio da refeição quando várias pessoas são levadas a uma mesa próxima. Uma jovem mulher no grupo reconhece Jill e solta um suspiro de alegria. Ela tinha sido aluna de Jill vários anos atrás.

Depois de muitos abraços e exclamações, Jill se vira para a sua companhia do almoço: "Robin, esta é Edwina. Ela foi uma de minhas mais queridas alunas em Stratford. Eu nunca me esquecerei, ela tinha todo um ritual para se organizar e organizar seu trabalho. Tudo tinha seu próprio lugar e uma ordem especial em sua mesa. Às vezes, ela me deixava louca, mas sempre me fascinou o fato de ela ser tão meticulosa".

"Prazer em conhecê-la", diz Robin, dando a mão para Edwina.

"Então, diga-me, Edwina, o que você está fazendo atualmente?", Jill pergunta.

Edwina começa contando a Jill sobre seu trabalho como produtora associada em um programa de TV local e, em seguida, acrescenta:

"Há outras pessoas da escola lá. Você se lembra de Suzanne Sparks?"

"Não, sinto muito, não consigo me lembrar dela", diz Jill, procurando com os olhos.

"Você sabe, aquela que sempre vinha para a aula em um daqueles coletes de couro malucos."

"Ah, sim, claro." Jill se vira para Robin, incluindo-a na imagem. "Suzanne era uma pintora maravilhosa. Eu acho que ela falava espanhol e alemão também. Ela ainda tem aquele cabelo ruivo espetado?", ela pergunta, voltando-se para Edwina.

"Não. Ela está com o cabelo comprido e loiro agora. É a nossa diretora de programação. E da Toni, você se lembra?", Edwina continua. "Ela está no canal também."

"Quem era a Toni mesmo?", Jill pergunta.

"Toni March. Ela era sempre muito amigável. Morava em Malton." Quando Jill não fornece nenhum sinal de reconhecimento, Edwina diz: "Ela trabalhava muito duro".

"Desculpe-me, querida, não consigo me lembrar da Toni. Quem mais?"

"Greg Cuddy. Ele é nosso gerente de vendas."

"Não!!! O Greg? Aquele com o piercing no nariz?", Jill balança a cabeça, não acreditando. "Greg Cuddy era um jovem rapaz tão nervoso. Ele dirigia a caminhonete da mãe para todo lado. Se não me falha a memória, ele administrava um site de observação de trens na internet. Ele publicava até um informativo a respeito do assunto..."

Jill convida Edwina para se juntar a elas na mesa, enquanto seus amigos pedem o almoço sem ela na outra mesa, e as reminiscências continuam.

O ponto desta história é que é fácil para Jill se lembrar de seus ex-alunos quando sua memória é ativada por uma imagem. É mais provável que as pessoas sejam lembradas por outras se tiverem algum tipo de alavanca, algum tipo de dispositivo que as destaque na multidão.

Encontre algo que o diferencie do resto. Ofereça esse algo para que as pessoas se lembrem de você.

8 – Interpretando os nossos sentidos

Em um certo nível, nós, humanos, não somos muito mais do que dispositivos móveis de detecção. Nós vemos, ouvimos, sentimos, cheiramos e saboreamos. E, então, processamos as informações obtidas usando nossos sentidos, transformando-as em palavras, depois em pensamentos, ideias, ações e hábitos (nessa ordem), que por sua vez formam a nossa personalidade. Todos os dias, experimentamos o mundo por meio de informações sensoriais e, então, explicamos nossas experiências a nós mesmos e aos outros. E é isso. Vamos para a cama, levantamos no dia seguinte e vivenciamos tudo novamente. É como evoluímos. Obviamente, esta é uma grande simplificação, mas é um bom lugar para começar.

Existem basicamente duas maneiras, ou estilos, de explicar nossas experiências usando palavras. Uma positiva e uma negativa. Ao acordar de manhã e ver que está chovendo lá fora, um indivíduo com um estilo explicativo negativo pode pensar: "Ah, droga, está chovendo. Vai ser um dia péssimo", enquanto alguém com um estilo positivo pode dizer: "Ei, dia de lavagem de carro grátis e ótimo para as plantas no jardim". Diante da mesma informação, algumas pessoas veem problemas, enquanto outras veem oportunidades. E, assim, nossas Atitudes Realmente Úteis ou Inúteis são acionadas por imagens, sons e sentimentos.

Podemos categorizar vagamente essas respostas em mentalidades e padrões familiares. Na década de 1970, Richard Bandler e John Grinder, os fundadores da programação neurolinguística, notaram em seus primeiros trabalhos que as pessoas podiam ser divididas em três tipos, dependendo de como filtravam o mundo usando os seus sentidos. Eles deram a esses tipos os nomes de Visual, Auditivo e Cinestésico. Digamos que três estudantes vão a um show de rock. Judy é principalmente Visual, Phyllis é Auditiva e Alex é Cinestésico. Mais tarde, quando eles descreverem sua experiência para seus amigos, Judy irá fazer imagens das palavras para contar como foi o show: "Ah, uau, você deveria ter visto, todas aquelas pessoas pulando e o cantor arrancou suas calças e sua peruca voou!". Phyllis contará como o show soou: "A música era incrível. A batida era ensurdecedora; todos estavam gritando e cantando juntos. Você deveria ter ouvido. Foi gritante de verdade!". Alex, que responde principalmente a sentimentos e contato físico, descreverá como se sentiu: "Ah, cara, você podia sentir a energia. O lugar estava lotado. Mal conseguíamos nos mexer, e, quando eles tocaram 'Blue Rodeo', o lugar entrou em ebulição".

Em outras palavras, os Visuais tendem a usar palavras que remetam a imagens, os Auditivos escolhem palavras sonoras e os Cinestésicos preferem as palavras que façam alusão a caraterísticas físicas.

Estamos lidando aqui com uma nova dimensão de sincronia e afinidade. Este capítulo irá além da atitude, da linguagem corporal e do tom de voz para analisar a maneira como nossos sentidos captam e literalmente dão sentido ao mundo à nossa volta.

Visual, auditivo ou cinestésico?

Como recebemos nossas informações de fora principalmente em imagens, sons e sentimentos, estas são as três maneiras pelas quais podemos ser inspirados: por algo que vemos externamente ou internamente em nossa mente como uma imagem ou visão; por algo que ouvimos externamente ou emanando daquela vozinha interna; ou por algo que sentimos ou tocamos. Normalmente, uma combinação dessas experiências é o que nos ajuda a interpretar o mundo exterior, mas um desses três aspectos – visão, som ou tato – tende a prevalecer sobre os outros dois.

Para o olho (ou ouvido) não treinado, todos nós parecemos, soamos e sentimos exatamente como pessoas comuns; entretanto, para a pessoa treinada, existem diferenças sutis, mas importantes. Como você pode imaginar, uma pessoa que dá importância principalmente a como as coisas se parecem preocupa-se e é influenciada pelas aparências. Da mesma forma, alguém para quem o som é importante responderá à maneira como as coisas soam, e uma pessoa que experimenta o mundo por meio de sensações físicas estará mais preocupada com a forma como as coisas são sentidas, tanto interna quanto externamente, por meio do contato físico.

No ano passado, eu estava ouvindo dois políticos sendo entrevistados no rádio. Os dois desejavam concorrer à liderança de seu partido. Quando o entrevistador pediu a eles que "falassem sobre seus planos", um deles disse, bastante pensativo: "Estou muito inclinado a me arriscar". A resposta muito mais rápida do outro foi: "Agora que temos uma visão mais clara do futuro, consigo ver as possibilidades". O entrevistador respondeu: "Parece que vocês dois estão prontos para anunciar suas intenções".

O que você acha? Você pode compreender a distinção? O entrevistador, usando frases como "fale sobre seus planos" e "anuncie suas intenções", provavelmente foi Auditivo. (Sejamos justos, essa seria uma linguagem natural para se usar no rádio, mas, ainda assim, um número surpreendente de apresentadores de rádio se mostra Auditivo.) O primeiro aspirante a líder usou uma linguagem física – "estar muito inclinado", "lançar-se" – e falou deliberadamente, indicando uma inclinação Cinestésica. O segundo candidato tinha "uma visão mais clara" e podia "ver as possibilidades", portanto, pareceu bem Visual para mim.

É claro que ninguém é totalmente Visual, completamente Auditivo ou 100% Cinestésico. Naturalmente, somos uma mistura dos três. Ainda assim, em cada pessoa um desses sistemas (um pouco como ser destro ou canhoto) domina os outros dois.

Estudos mostraram que até 55% de todas as pessoas em nossa cultura são motivadas principalmente pelo que veem (Visuais), 15% pelo que ouvem (Auditivas) e 30% pela sensação física (Cinestésicas).

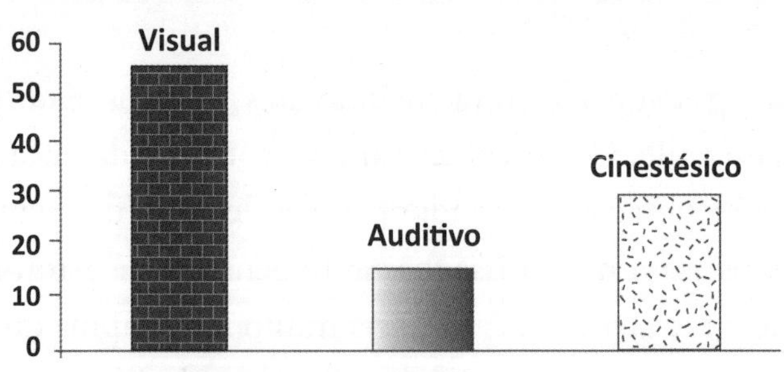

Faça o autoteste a seguir e você começará a entender por que se conecta facilmente com algumas pessoas quando as encontra pela primeira vez, mas não com outras, e por que sente que conhece certas pessoas, embora nunca as tenha visto antes. Tudo se resume à harmonia sensorial natural. Quando dois indivíduos Visuais se encontram, sentem-se familiarizados um com o outro porque veem as coisas e expressam suas experiências da mesma maneira (isso não significa que eles concordem um com o outro). O mesmo acontece com dois indivíduos Auditivos ou dois Cinestésicos. Por outro lado, se a pessoa que você encontra vê, ouve ou sente o mundo de uma maneira diferente da sua, você precisará aprender a reconhecer esse fato e como se adaptar e sintonizar sua frequência à dela para estabelecer uma afinidade que possa levar a uma amizade ou a um relacionamento significativo.

Um autoteste

Qual o seu sentido favorito?

Onde você se encaixaria entre os Visuais, os Auditivos e os Cinestésicos? Como muitas pessoas, você provavelmente dirá: "Ah, com certeza eu sou um Visual". Mas você pode ter uma grande surpresa. Faça o teste a seguir para verificar como se sintoniza com o mundo. Escolha apenas uma resposta para cada pergunta e circule a letra próxima à sua resposta.

1) *Se apenas três quartos sobraram em um resort na praia, escolherei o quarto que oferece:*
   a) *Uma vista do mar, mas barulhento.*
   b) *Sons do oceano, mas sem vista.*
   c) *Conforto, mas com muito barulho e sem vista.*
2) *Quando eu tenho um problema:*
   a) *Eu busco alternativas.*

- b) *Eu falo sobre o problema.*
- c) *Eu reorganizo os detalhes.*

3) *Ao dirigir um carro, espero que o interior:*
   - a) *Tenha uma boa aparência.*
   - b) *Seja silencioso ou tenha o som do motor possante.*
   - c) *Pareça confortável ou seguro.*
4) *Quando eu conto sobre um show ou evento de que acabei de participar, eu primeiro:*
   - a) *Descrevo como parecia.*
   - b) *Digo às pessoas como soava.*
   - c) *Transmito a sensação.*
5) *Em meu tempo livre, eu gosto principalmente de:*
   - a) *Assistir TV ou ir ao cinema.*
   - b) *Ler ou ouvir música.*
   - c) *Fazer algo físico (artesanato/jardinagem) ou praticar algum esporte.*
6) *A única coisa que, pessoalmente, acredito que todos deveriam experimentar na vida é:*
   - a) *Visão.*
   - b) *Som.*
   - c) *Sensação.*
7) *Das seguintes atividades, passo a maior parte do tempo entregando-me a:*
   - a) *Devaneios.*
   - b) *Ouvir meus pensamentos.*
   - c) *Absorver meus sentimentos.*
8) *Quando alguém está tentando me convencer de algo:*
   - a) *Eu preciso ver alguma evidência ou provas.*
   - b) *Eu reflito comigo mesmo durante o processo.*
   - c) *Eu confio em minha intuição.*
9) *Eu normalmente falo e penso:*
   - a) *Rápido.*
   - b) *De maneira ponderada.*
   - c) *Devagar.*

10) Eu normalmente respiro:

a) Pela parte alta do peito.

b) Pela parte baixa do peito.

c) Pelo meu abdômen.

11) Ao tentar me orientar em uma cidade desconhecida:

a) Eu uso um mapa.

b) Eu peço orientações.

c) Eu confio na minha intuição.

12) Quando eu escolho roupas, o mais importante para mim é que:

a) Eu pareça perfeito.

b) Eu faça uma afirmação sobre minha personalidade.

c) Eu me sinta confortável.

13) Quando escolho um restaurante, minha maior preocupação é que:

a) Pareça impressionante.

b) Eu possa me ouvir falar.

c) Eu me sinta confortável.

14) Eu tomo decisões:

a) Rapidamente.

b) Ponderadamente.

c) Lentamente.

Resultado:

alternativas "a" =

alternativas "b" =

alternativas "c" =

a) é Visual, b) é Auditivo e c) é Cinestésico. Quanto maior o número de respostas em cada categoria, mais forte é a tendência.

Ao fazer esse teste, você não só terá uma forte indicação de como seus três principais sentidos se distribuem, mas também começará a entender como as pessoas podem ter prioridades diferentes. No entanto, há muitas variáveis em ação aqui, incluindo o fato de que você já sabia o propósito do teste antes de realizá-lo. Em meus seminários, geralmente faço as pessoas completarem o questionário antes de perceberem seu significado.

Tente pedir a alguns amigos que o completem e veja como eles se saem. Use os resultados para aprofundar sua percepção de ser capaz de reconhecer preferências sensoriais.

Para dar uma ideia de como as preferências sensoriais impactam nossa vida cotidiana, deixe-me contar sobre minha própria situação. Eu sou Auditivo e minha esposa é Cinestésica. Se tivermos um desentendimento, Wendy sabe como se conectar a mim em minha "linguagem", isto é, com palavras Auditivas. Ela obtém minha atenção imediata ao dizer: "Nick, você não está me escutando. Você não está ouvindo uma palavra do que estou dizendo". Se ela dissesse: "Você não consegue ver o que estou dizendo" ou, pior ainda: "Não consegue ver como isso me faz sentir?", a verdade é que não, não consigo.

Claro, eu faço a conexão intelectual óbvia, mas tenho que parar e pensar sobre o assunto; meu cérebro tem que dar um passo extra para traduzir aquela linguagem em algo com que eu possa me relacionar. Por outro lado, quando ela envia uma mensagem na minha frequência Auditiva, estabelece uma conexão direta e rápida.

Por outro lado, se eu quiser me conectar diretamente com as sensibilidades dela, digo: "Sei como você se sente quando isso acontece". Em outras palavras, uso uma abordagem sensível e Cinestésica. Simples e ainda assim eficaz de maneira extraordinária.

Sintonizando com as preferências sensoriais

O que os tipos sensoriais têm a ver com fazer as pessoas gostarem de você em até 90 segundos? Mais do que você pode imaginar. Quando você consegue descobrir as preferências sensoriais de outras pessoas, pode se comunicar nas frequências delas. Se você quiser se relacionar melhor com o seu cônjuge, trazer um juiz para o seu lado em uma disputa, fazer aquela venda, conquistar aquele emprego ou impressionar alguém em uma festa, reconhecer pessoas Visuais, Auditivas e Cinestésicas pode ser uma habilidade inestimável.

Falando metaforicamente

As palavras "Eu vasculhei os quatro cantos da Terra" dizem muito mais do que "Eu olhei em todos os lugares"; elas forçam uma conexão com escrutínio, diligência, detalhes, determinação e muito mais. Elas também envolvem facilmente a visão, o som e o sentimento, e é por isso que as metáforas apelam simultaneamente a indivíduos Visuais, Auditivos e Cinestésicos. Os Visuais podem criar uma imagem delas, os Auditivos podem ouvi-las e os Cinestésicos podem sentir o que está acontecendo.

As metáforas são recipientes de ideias. Elas ligam nossa imaginação interna à realidade externa. Usamos metáforas regularmente, muitas vezes inconscientemente, para explicar os nossos pensamentos. Também as usamos para tornar as coisas mais interessantes. Parábolas, fábulas, histórias e anedotas são algumas das ferramentas de comunicação mais antigas e poderosas que temos, e seus aspectos metafóricos são eficazes em praticamente todos os ambientes. Elas estimulam a imaginação e apelam a todos os sentidos.

Em suma, as metáforas ajudam a tornar a compreensão mais fácil, rápida e rica.

No dia seguinte a um de meus seminários, recebi o telefonema animado de uma mulher que estava na plateia. O nome dela era Bárbara e ela era dona de uma loja de pisos e carpetes.

"É incrível!", disse ela. "São nove e meia, estamos abertos há apenas uma hora e já fiz a minha quinta venda do dia – para cinco clientes. Isso nunca aconteceu!"

"É perfeito para o meu negócio", ela continuou, referindo-se à minha palestra sobre como descobrir as pessoas Visuais, Auditivas e Cinestésicas que encontramos no decorrer de nossas desventuras do dia a dia. "As primeiras quatro vendas foram provavelmente normais, embora eu estivesse ciente do que havia aprendido. Mas a quinta... Uma senhora entrou na loja arrastando o marido com ela. Era óbvio que ele não queria estar ali. Eu descobri imediatamente que ele era alguém que preferia a sensação física, um Cinestésico, e em 30 segundos eu o fiz tocar o carpete. E eles o compraram."

"Eu simplesmente sabia que se dissesse a ele: 'Imagine como isso ficará em sua casa' ele não poderia fazer isso, porque ele não é Visual. Ou se eu dissesse: 'Você descobrirá quão silencioso será quando seus filhos correrem sobre ele', ele tampouco se conectaria a isso, porque ele não pensa assim – ele não é Auditivo. Eu sabia pela maneira como ele se vestia, se movia e falava que ele era Cinestésico, então disse: 'Apenas sinta'. E ele o fez. Simples assim. Ele se ajoelhou e sentiu o carpete."

> Descubra o que você está obtendo. Mude o que está fazendo até conseguir o que quer. Descubra em qual sentido uma pessoa confia mais e mude sua abordagem para levar isso em consideração.

Se você não tiver certeza de como lidar com uma situação, não se preocupe. Esteja preparado para incluir todas as três preferências em sua abordagem. Tenha uma boa aparência para os Visuais, afinal, eles representam mais da metade das pessoas que você provavelmente encontrará durante o dia. Soe bem; desenvolva um tom de voz agradável para os Auditivos com quem você falará. Por fim, seja sensível e flexível para o pessoal Cinestésico que vai encontrar. E, claro, se estiver lidando com um grupo, é a mesma coisa, pois todo grupo será composto das três categorias, e você quer atrair todos os indivíduos.

Acima de tudo, lembre-se de que a capacidade de se sintonizar com a maneira como outras pessoas experimentam o mundo pode ser uma das descobertas mais importantes da sua vida.

Há alguns meses, fiz a palestra de abertura em uma convenção de construtores de casas. Durante a palestra, usei a representação de papéis (em que eu desempenhava todos os papéis) para ilustrar algumas das diferenças comportamentais que as pessoas Visuais, Auditivas e Cinestésicas apresentam na comunicação cara a cara. No final da palestra, um homem grande, de aparência intimidadora, mas bem-vestido, me puxou de lado. Ele parecia muito emotivo, a ponto de chorar. Balançando a cabeça de um lado para o outro, ele começou: "Eu não sei o que dizer. Estou saindo agora para ir à escola do meu filho e abraçá-lo". Ele quase não conseguia falar. "Por anos, fui severo com ele. Quando tento falar com ele, ele vira a cabeça e não olha para mim. Ele me deixa louco e eu grito com ele: 'Olhe para mim quando estou falando!'. Ele mal olha em meus olhos diretamente quando estou lhe dando instruções. Depois de tudo que você disse, percebi que ele é Auditivo e não está me ignorando quando desvia o olhar. Ele está apontando o ouvido para mim, para que possa se concentrar. E eu, um Visual, preciso de contato visual." Ele apertou a minha mão e saiu.

Visões e sons

Apesar do bom café colombiano e dos croissants frescos, os O'Connors não estão desfrutando de um café da manhã muito agradável.

"É um Maserati amarelo brilhante!", exclama John. "Um carro maravilhoso! Você não consegue imaginar nós dois na estrada, descendo para a praia?"

"Na verdade, não", diz Lizzie friamente. "Só consigo ouvir as contas mensais do carro caindo na nossa caixa de correio. Acho que você nunca escuta quando digo que temos coisas mais importantes nas quais investir o nosso dinheiro..."

John sai de casa furioso, mas, naquela noite, depois de sair do trabalho, ele compra um luxuoso lenço de seda colorido para Lizzie na tentativa de conquistá-la. Chegando em casa, ele a encontra na sala de estar e lhe entrega a caixa embrulhada de modo requintado.

"E para que isso?", Lizzie pergunta de maneira desdenhosa enquanto remove o lenço da caixa. "Qual é a ocasião?"

"Ora, é só pra mostrar a você quanto eu te amo!", John protesta, sentindo-se rejeitado.

"Um lenço não me diz nada!", esbraveja Lizzie.

Ela sai rapidamente da sala.

John afunda no sofá, enrolando lentamente o lenço caro em volta da mão e apertando tanto que seus dedos latejam de dor.

O que aconteceu aqui? John é um Visual. Ele entende o mundo principalmente a partir do que vê: o Maserati amarelo, sua "imagem" no carro, o lenço de várias cores. Lizzie é Auditiva. Ela ouve as contas do carro caindo na caixa de correio; ela não acha que John "escuta" quando ela lhe "diz" alguma coisa.

Esse casamento (ou pelo menos a esperada compra do Maserati) pode ser salvo? Com certeza. Um par de ingressos para o show da banda favorita de Lizzie – algo que atrai seus ouvidos – soaria muito melhor para ela. Veja como John poderia ter lidado com isso se ele fosse mais sensível à maneira como Lizzie ouve o mundo:

"Eu realmente sinto muito, Lizzie", declara John com uma voz suave e agradável (depois de dar os ingressos para ela). Ele passa

a usar algumas palavras "auditivas" com sua esposa. "Eu vou dizer uma coisa – vamos colocar um pouco de harmonia de volta nesta casa e conversar um pouco. Isso soa bem para você?"

Lizzie assente, absorvendo aquelas palavras repentinamente mais aceitáveis e o significado que elas transmitem.

"Eu já te disse como o motor do Maserati ronrona como um gatinho, como mal se pode ouvir a mudança de marchas de tão silenciosa que é?", John pergunta de forma doce. "E espere até discutirmos os métodos de pagamento surpreendentemente razoáveis."

"Ah, finalmente vislumbro o quadro que você está pintando, John", diz a esposa. "Está tudo muito claro pra mim agora!"

É incrível. Coisas assim acontecem bem debaixo dos nossos narizes todos os dias e nunca percebemos – até agora, claro.

9 – Percebendo preferências sensoriais

Reconhecer em quais sentidos as outras pessoas confiam para experimentar o mundo e então usar essas informações em suas relações com outras pessoas – sejam pessoais, profissionais ou sociais – pode ter um profundo efeito sobre como elas reagem a você. Este capítulo trata de captar os sinais iniciais que as outras pessoas nos fornecem sem saber. Sejam elas Visuais, Auditivas ou Cinestésicas, seus sinais existem para que possamos interpretar e utilizar no estabelecimento da afinidade.

Ao abrir para as perguntas da plateia ao final de um dos meus seminários, uma mulher de meia-idade na segunda fileira indagou lentamente: "Você sente que é duro acertar em cheio qual é a preferência sensorial de uma pessoa?". Essa mulher encantadora usava um grande e confortável casaco de tricô e passava o dedo lentamente pelo cabelo enquanto falava. Eu agradeci a pergunta e imediatamente pedi a ela que não se mexesse. Como uma pessoa obviamente bem-humorada, ela congelou na posição. "Vou pedir a você que repita a pergunta exatamente da mesma maneira", eu disse a ela. "Mas quero que o resto da plateia observe. Tudo bem?" Ela assentiu, fez uma pausa e repetiu a pergunta, incluindo a mexida no cabelo. Houve um sorriso coletivo das outras pessoas na plateia ao compreenderem o que tinham acabado de testemunhar. Então, a própria senhora olhou para cima e riu.

Sua escolha das palavras "sentir", "duro" e "acertar em cheio", sua maneira fácil de falar, seu casaco confortável, seu corpo ligeiramente volumoso e seu hábito de brincar com o cabelo foram uma grande revelação. Ela ofereceu pistas suficientes para que todo o público tivesse uma forte indicação de qual poderia ser a sua preferência sensorial.

Você não estava lá, mas qual sentido você acha que ela priorizava? Você acertou se disse que ela era Cinestésica.

Perfis de preferências sensoriais

Cada grupo apresenta diferenças sutis na composição física e mental. Não se trata de distinções imutáveis, mas apenas de indicadores. Visuais, Auditivos e Cinestésicos podem vir em todas as formas e tamanhos. Estamos lidando com pessoas, indivíduos únicos com crenças e valores, opiniões e talentos, sombras e brilhos, insinuações e sonhos ilimitados. Cada um é diferente, mas, no fundo, há semelhanças fundamentais. Encontre uma pessoa que favoreça fortemente um sentido nas várias áreas discutidas neste capítulo, e é provável que ela esteja sinalizando uma preferência sensorial pessoal.

Uma dica rápida:

Visuais normalmente falam muito rápido.

Cinestésicos tendem a falar devagar.

Auditivos situam-se entre os dois.

À medida que você detecta as diferenças existentes entre esses três grupos de pessoas – Visuais, Auditivas e Cinestésicas –, o que parece sutil a princípio se tornará cada vez mais óbvio para você.

Talvez você já tenha passado pela experiência de comprar um carro novo. Digamos que você comprou um pequeno e elegante Prius azul. Muito exclusivo? Não exatamente. De repente, Prius azuis estão por toda parte. Se antes você só os notava de vez em quando, agora você começa a vê-los em todos os lugares. Claro, esses carros estavam lá o tempo todo – eles simplesmente não eram interessantes para você.

Quando você se tornar mais hábil em distinguir uma pessoa de outra, acontecerá a mesma coisa. As distinções se revelarão diante de seus olhos. E, ainda assim, elas estiveram lá o tempo todo.

Pistas na TV

Os talk shows *da TV são um ótimo lugar para treinar seus talentos de identificação de preferências. Os mais famosos, nos quais todos tendem a se vestir de maneira mais elegante, talvez não sejam os melhores para esse exercício. Os mais indicados são programas de entrevistas com apresentadores mais descontraídos ou os* talk shows *de emissoras locais, nos quais as pessoas podem ser mais elas mesmas.*

Abaixe o volume do televisor e tente descobrir – por meio da aparência física, dos gestos com as mãos, dos movimentos de olhos e das roupas – se a pessoa é V, A ou C. Depois, aumente o volume e escute as palavras, o ritmo da fala e o tom de voz.

Você pode fazer o mesmo com entrevistas de rádio. Concentre-se nas palavras. Os talk shows *de rádio são uma mina de informações sobre preferências sensoriais. Você pode praticar enquanto está preso no trânsito.*

Vá devagar. Divirta-se.

Visuais

As pessoas Visuais se preocupam muito com a aparência das coisas. Elas precisam ver uma prova ou evidência antes de levar algo a sério. Por serem visualizadoras, elas pensam em imagens e acenam com as mãos, às vezes tocando suas imagens enquanto falam. As imagens aparecem rapidamente em suas mentes, então elas pensam de maneira clara; isso faz com que falem de maneira rápida também. Às vezes, são elas quem têm vozes monótonas. Visuais frequentemente olham para a esquerda e para a direita quando falam. Quando se trata de vestuário, eles tendem a se vestir bem e de maneira impecável, esforçando-se muito para ter uma boa aparência e se cercar de coisas bonitas. Fisicamente, como se preocupam com as aparências, buscam ser asseados e arrumados. Quando se levantam e se sentam, seu corpo e sua cabeça geralmente permanecem eretos.

Você encontrará Visuais trabalhando onde decisões rápidas e confiáveis são necessárias ou onde procedimentos específicos devem ser seguidos. Eles querem ter o controle porque provavelmente têm algum tipo de visão de como as coisas deveriam ser. Muitos, embora definitivamente não todos, artistas visuais se encaixam nesta categoria.

Auditivos

Pessoas Auditivas respondem emocionalmente à qualidade do som. Elas gostam da palavra falada e adoram conversar, mas as coisas devem soar bem para que sintonizem e prestem atenção. Elas têm vozes fluidas, melódicas, sensíveis, persuasivas e expressivas. "Audis" movem os olhos de um lado para o outro enquanto falam e gesticulam um pouco menos que os Visuais, mas, quando o fazem, é de um lado para o outro, como os movimentos dos olhos. Quando se trata de roupas, elas *pensam* que se vestem bem. Elas gostam de se manifestar por meio de suas roupas – e às vezes não conseguem. Fisicamente, estão em algum lugar entre os Visuais asseados e os Cinestésicos confortáveis.

Audis funcionam onde as palavras e o som são a prioridade. Muitos locutores, professores, advogados, conselheiros e escritores são Auditivos.

Cinestésicos

Para os nossos Cinestésicos sensíveis, as coisas têm que ser sólidas, bem construídas e transmitir o sentimento correto para que possam aceitar. Usam um tom de voz calmo e informal e os seus gestos são descontraídos. Alguns Cinestésicos são conhecidos por falar incrivelmente devagar e adicionar à sua fala todos os tipos de detalhes desnecessários, que podem levar os Visuais e Auditivos a querer gritar: "*Por favor*, pelo amor de Deus, vá direto ao ponto!". É assim que muitos deles são. O fato é que leva mais tempo para sentimentos serem traduzidos em palavras do que imagens ou sons. Quando falam, os Cinestésicos olham para baixo, para seus sentimentos. Eles gostam da sensação das coisas, gostam de roupas texturizadas com tons discretos. Qualquer homem com pelos faciais permanentes pode muito bem ser um Cinestésico. Você encontrará Cinestésicos em posições práticas: encanadores, eletricistas, carpinteiros, vendedores de produtos e trabalhadores das artes, medicina e indústria de alimentos.

Fisicamente, há dois tipos de Cinestésicos: em um grupo estão os atletas, os dançarinos, o pessoal de serviços de emergência e do comércio, pessoas atléticas para quem a fisicalidade do toque e do contato são fundamentais; no outro grupo estão os tipos sensíveis, descontraídos, práticos e de grande coração, podendo haver uma proporção maior de corpos mais pesados entre eles.

Pressionando por mais

Esta técnica simples é útil para se determinar a preferência sensorial de uma pessoa. Comece fazendo algumas perguntas não específicas – "Você mora no centro da cidade ou nos bairros mais afastados?" – seguidas, após a resposta, por um: "Você gosta?".

Se a resposta for sim, pergunte: "O que você mais gosta em relação a isso?" (Se a resposta for "não", continue com: "O que você não gosta em relação a isso?")

Conforme os motivos são dados, pressione por mais. A expansão de respostas como: "Bem, para começar, é pacífico" pode ser incentivada pela pergunta: "O que mais?". E não pare por aí. Siga sua linha de questionamento até que obtenha pistas verbais suficientes para entender o sentido favorito da pessoa.

Compatibilidades e incompatibilidades

Você provavelmente pode verificar por conta própria que as chances de estabelecer um relacionamento amoroso com alguém "como" você são altas. Mas isso é sempre uma boa ideia? Sim e não. Se você quiser passar o resto da sua vida com alguém muito parecido com você, então, sim. Mas e se você quiser um pouco de faísca e emoção?

Frequentemente me perguntam se há alguma validade no antigo ditado que diz que os opostos se atraem. A resposta é sim, eles definitivamente se atraem. Mas como? E o que eles atraem?

Em primeiro lugar, deixe-me dizer que este livro é sobre estabelecer afinidade e fazer as pessoas gostarem de você. Se a afinidade e a afeição levam à amizade e ao romance, é você quem decide. Eu gosto, confio e me preocupo com muitas pessoas, mas nem todas são minhas amigas e definitivamente não são minhas parceiras. Apaixonar-se por alguém no sentido romântico é mais complexo. Para escrever meu livro *Como fazer alguém se apaixonar por você em até 90 minutos*, interrogamos quase 2 mil pessoas cujos relacionamentos já duravam mais de 20 anos e ainda se mantinham vibrantes. Encontramos um padrão simples. Eu criei a expressão "opostos compatíveis" porque esses casais constituem uma mistura de "semelhante atrai semelhante", porque eles realmente gostam um do outro, e "opostos se atraem", porque deve haver uma centelha contínua. Algumas das partes "opostas" podem ser vistas em seus padrões de preferências sensoriais. Nesse aspecto, a maioria era *completamente oposta*.

Lembre-se do autoteste no Capítulo 8 em que a contagem no final permitiu que você classificasse suas preferências. Vamos usar minha própria classificação como exemplo. Eu fui classificado primeiro como A, depois como V e, por último, como C, ou AVC. O completo oposto de minha classificação seria CVA. Coloque essas classificações lado a lado e elas ficarão assim:

A C
V V
C A

Com isso, haveria opostos no topo, A e C, para faísca e interesse, mas a mesma coisa no meio – neste caso, V. A relação se mantém pela conexão visual comum, um compartilhamento subconsciente mútuo da mesma frequência. Ademais, mantém-se vital pelos opostos A e C como preferências sensoriais pessoais primárias.

Minha observação diz que, quando duas pessoas "se encontram no meio" e compartilham uma preferência sensorial central, sejam elas Visuais, Auditivas ou Cinestésicas, é esse vínculo que as conduzirá ao longo dos tempos difíceis e adicionará brilho aos bons tempos. Quaisquer preferências sensoriais compartilhadas, sejam elas primárias, secundárias ou terciárias, trabalharão a favor do relacionamento quando as coisas ficarem difíceis.

Sinais verbais

Não há regras fixas aqui, exceto que as pessoas que você encontra tendem a revelar como elas transformam suas experiências em palavras mediante o tipo de palavras que preferem.

Ouça essas palavras e leve-as em consideração ao se preparar para estabelecer afinidade.

Palavras visuais

Uma tendência a favorecer palavras de "imagem" e metáforas – "se olharmos mais claramente", "a diferença era como noite e dia" – pode ser uma forte indicação de que a pessoa depende principalmente do sentido visual.

Por um dia inteiro – do amanhecer ao anoitecer –, concentre-se nas palavras e frases visuais que você ouve no vocabulário de outras pessoas. Observe-as até que pareçam tão óbvias quanto as três palavras extremamente visuais que acabei de usar nesta frase. A lista de palavras a seguir lhe dará perspectiva e foco enquanto você observa as pessoas que examinam o mundo com os olhos. Em seguida, demonstre como você pode usar essas palavras Visuais. Faça um esforço em suas conversas com outras pessoas para "falar em cores", pintando imagens de palavras. Descreva suas experiências vividamente para que outras pessoas possam "vê-las".

analisar
ângulo
aparecer
aspecto
assistir
brilhante
brilhar

examinar
foco
iluminar
ilusão
imagem
imagem mental
imaginar

pesquisa
prever
prognóstico
refletir
retratar
retrospecção
revelar

cego
clareza
claro
colorido
dar um close
desatenção
diagrama
encarar
esboçar
esconder
escuro
espiar
evidente
inspecionar
investigar
luz
mostrar
obscuro
observar
ofuscar
olhada
olhos da mente
parece ótimo
perceber
percepção
perspectiva
simplesmente
tedioso
testemunhar
turvo
ver
visão
visão fraca
vislumbrar
vista
visualizar
vívido

Fala visual	
Como você se vê?	Temos uma visão igual sobre o assunto.
Está um pouco nebuloso agora.	Está um pouco vago.
Eu vejo o que você está dizendo.	Sem sombra de dúvida.
Ele tem uma personalidade tão colorida.	A gente se vê mais tarde.
Um colírio para os olhos.	Você pode imaginar?
Vamos ter alguma perspectiva.	Vamos esclarecer isto.
Somos uma empresa com uma visão.	Você pode lançar alguma luz sobre isso?
	Temos um futuro brilhante.

Palavras auditivas

Sintonize-se com as palavras e frases Auditivas à medida que as pessoas se expressam. Tenha em mente e amplifique todas as discussões harmoniosas dentro do seu alcance auditivo até que esteja bem-informado a respeito de como elas soam. Ouça como essas palavras Auditivas simplesmente se encaixam! Abra seus ouvidos para aqueles que veem e sentem o mundo usando primordialmente a audição. Você receberá a mensagem em alto e bom som.

alto
anunciar
articular
balbuciar
barulhento
bater (enfadar)
bem-informado
berrar
bronca
chamar(-me)
chiar
clangor
clicar
comentar
conectar-se/desligar-se
contar
conversa fiada
conversar
debate
divulgar
dizer
escutar
estridente
estrondo
expressar-se
faixa de audição
falar
fofoca
forma de falar
franco
frasear
gemido
gritar
grito
harmonizar
inaudito
inquirir
menção
palavra por palavra
pergunta
proclamar
pronunciar
quieto
quietude
relatar
repicar
ressoar
retumbante
retumbar
rispidez
rugir
rumor
sem palavras
silêncio
sobretom
surdo
tagarela

declarar	mensagem oculta	tinido
descrever em detalhes	mudo	tom
discutir	ouvir	vocal

Fala auditiva	
Soa familiar. Conte-me mais.	Eu não gostei do tom de voz dele.
O que ele disse te lembra alguma coisa?	Deixe-me dizer a você.
Ele forneceu um relato satisfatório sobre si mesmo.	Diga-me como.
Pelo menos temos harmonia em casa.	É maneira de dizer. . .
Eles me concederam uma audiência.	Quero que todos na sala expressem uma opinião.
Ela me deixou completamente mudo.	Ele recebeu um aplauso estrondoso.
Estas cores são muito berrantes.	Isso é nítido como o soar de um sino.
	Segure sua língua!

Palavras cinestésicas

As seguintes palavras físicas são a moeda do Cinestésico. Explore as emoções que o envolverem até entender como elas fluem. Supere todos e quaisquer obstáculos. Construa uma base sólida na qual possa basear seu próprio contato com outras pessoas. Use essas palavras concretas e assertivas que movem as pessoas Cinestésicas graças à sua sensibilidade aos sentimentos.

aceitar	dor de cabeça	mexer
acessar	duro	mover
afiado	emocional	movimento
agarrar	empurrar	persuasivo
amarrado	espremer	pregar

aquecido	esticar	pressão
ardiloso	estipular	quebrar
às avessas	estresse	quente
atordoado	estruturado	raso
cavar	explorar	resumir-se a
chocante	fazer contato	revirar
compreender	firme	segurar
concreto	frio	sensação
conectar	fundação	sensível
confuso	inquieto	sólido
congelar	insensível	suavemente
correr	insuportável	suporte
curvar-se	intuição	tensão
de mãos dadas	jogar fora	tocar
deixar-se (levar)	lidar	tolerável
desvendar	machucar	

Fala cinestésica	
Como você se sente a respeito de...?	Supere.
Havia alguns obstáculos.	Eu não posso lidar com a pressão.
Entrarei em contato com ela.	Ele é uma dor de cabeça.
Isso foi deixado de lado.	Mantenha contato.
Estou muito abalado.	Mantenha-se firme.
Não estou te acompanhando.	Eu não consigo pensar em nada de concreto.
Vamos resolver as coisas.	Comece do zero.
Sinta isto!	Explique a cerimônia para mim mais uma vez.
Você pode mexer alguns pauzinhos?	Eu me sinto calmo, tranquilo e sereno.
Ela lidou com o problema.	Vamos explorar as possibilidades.

Sinais oculares

Ao longo dos anos, fotografei mais capas de revistas de moda com mais modelos em mais países do que consigo me lembrar, e normalmente o idioma nativo dessas modelos não era o inglês. Quando tudo que você tem para trabalhar resume-se a rosto, pescoço e ombros (e, claro, os extraordinários talentos de cabeleireiros, maquiadores e estilistas de moda), logo percebe que, além das inclinações sutis e sugestivas, a maior parte das "insinuações" trazidas pelas fotos em close vem da expressão facial – dos olhos e da boca. Quando você quer que a modelo sorria, você não pede que ela o faça. Você a faz sorrir.

Para incentivar os movimentos dos olhos, existem algumas palavras que sempre parecem funcionar em qualquer idioma. Quando você quer que a pessoa olhe para cima e para o lado, basta dizer: "Apenas sonhe". E lá se vão os olhos para um lado e para o outro. Palavras como "segredo" ou "telefone" farão os olhos se voltarem para os lados, em direção aos ouvidos, e "triste", "romântico" ou "atencioso" normalmente vão direcionar os olhos para baixo e para a esquerda ou para a direita.

Mais uma vez, os criadores da PNL observaram o fenômeno dos movimentos oculares e os codificaram em um paradigma intrigante. Com base em suas descobertas, podemos pensar no globo ocular humano como um interruptor de seis vias que deve ser ligado a qualquer uma dessas seis posições à medida que procura informações – cada posição ativando um sentido, às vezes para lembrar, às vezes para criar uma resposta.

Se você pedir a um homem que lhe diga a sua cor de camisa favorita, talvez o veja olhar para cima e para a esquerda enquanto imagina a camisa antes de lhe fornecer a resposta. Peça a uma mulher que lhe descreva a sensação de tocar em seda, e é provável que ela olhe para baixo e para a direita enquanto se lembra da seda em sua mente. Em outras palavras, quando perguntadas, as pessoas muitas vezes precisam desviar o olhar para chegar à resposta. O motivo é bem simples: elas estão acessando os seus sentidos.

Fique atento. Abaixe o som da sua TV durante uma entrevista e observe os olhos do convidado se movendo enquanto ele tenta encontrar respostas para as perguntas do entrevistador.

Antes que você continue a leitura, vá e faça uma pergunta a alguém. Sem transmitir a sua intenção, olhe a pessoa nos olhos e faça uma pergunta não específica, como: "Do que você mais gostou nas suas últimas férias (ou aniversário ou trabalho)?". Então, observe os olhos da pessoa irem atrás da informação. Isso lhe dará uma boa ideia de como ela armazena e acessa as informações, ou seja, se como imagens, sons ou sentimentos. Referências constantes a um sentido também são uma indicação de preferência sensorial.

As pessoas que respondem a essas perguntas olhando para a esquerda ou para a direita provavelmente estão visualizando suas respostas. Se olharem para a esquerda ou para a direita em direção às orelhas, provavelmente estão se lembrando de informações sonoras. Se olharem para baixo à esquerda, podem muito bem estar acessando os seus sentimentos; se para baixo à direita, algum tipo de diálogo interno. A pesquisa tem pontos de vista variados quanto à validade desses sinais oculares da PNL, mas eu os considero bastante precisos e, o mais importante, eles conduzem à prática de contato visual proativo por parte de muitas pessoas que geralmente são tímidas demais para olhar outra pessoa diretamente nos olhos sem desconforto.

Outro detalhe valioso a se ter em conta aqui: quando olhamos para a esquerda, estamos *lembrando* de informações, ao passo que, quando olhamos para o outro lado, para a direita, estamos *construindo* informações.

Lembre-se: quando você conversa com alguém, inúmeras atividades mentais podem estar acontecendo ao mesmo tempo. Por exemplo, um rapaz pergunta a uma jovem: "Viu o último filme do Bruce Willis?". "Sim, eu vi", ela responde, vasculhando sua mente e vendo a si mesma na fila do cinema conforme recorda. Ao mesmo tempo, ela está tendo um diálogo interno consigo mesma: "Que cara chato. Será que o estou julgando rápido demais? Não, ele é mala mesmo. Como posso me livrar dele?". Então, ele diz: "Quer sair comigo no sábado à noite?". Buscando qualquer desculpa, ela finalmente murmura: "Puxa, não posso, eu tenho que, hã, terminar um relatório cujo prazo de entrega expira na segunda-feira pela manhã". Ao mesmo tempo, seus olhos disparam para o outro lado, enquanto ela constrói uma imagem de si mesma na mesa da cozinha com seu notebook.

Um exercício para perceber preferências

Bloqueio cerebral

Desafie um amigo a responder às seguintes perguntas sem mexer os olhos. Peça a ele que olhe diretamente para você durante o tempo todo e mantenha os olhos totalmente parados. Então, faça a primeira pergunta:

"Você gosta da casa (ou apartamento, ou o que seja) onde mora?".

Levando em conta que a resposta tenha sido "sim" ou "não", faça a próxima pergunta:

"Liste rapidamente seis coisas de que você gosta (ou não gosta) no lugar onde mora".

Ou seu amigo ficará completamente mudo ou lutará para pensar na resposta. Buscar a aparência, o som ou a sensação das coisas sem nenhum movimento dos olhos é quase impossível. Seu amigo parecerá um coelho paralisado encarando os faróis de um carro.

Os hipnotizadores sabem que, se puderem impedir o movimento dos seus olhos, você não conseguirá pensar. Um estado meditativo é facilmente alcançado da mesma maneira. Olhe fixamente para um ponto imóvel com os olhos abertos ou concentre a atenção em um ponto – a testa, por exemplo – com os olhos fechados. Desde que consiga manter sua atenção fixa, você interromperá o seu diálogo interno e perderá a noção do tempo.

Sentindo-se um pouco confuso? Observe este diagrama:

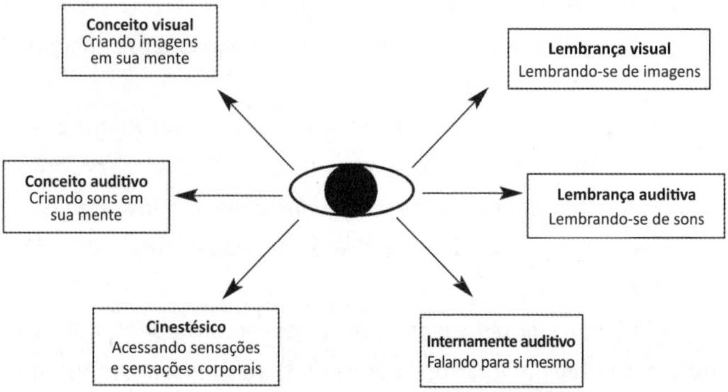

Para evitar qualquer confusão, imagine que o diagrama acima esteja colado na testa da pessoa com quem você está conversando. Não se preocupe de o lado esquerdo da pessoa estar à sua direita; basta olhar para o diagrama como se estivesse olhando diretamente para ela. (Em geral, as instruções se aplicam a pessoas destras, que constituem cerca de 90% da população.)

A propósito, esses movimentos não são iguais aos movimentos que seus olhos fazem quando você olha ao redor de uma sala ou para uma paisagem – eles são totalmente independentes do que se exige dos olhos para enxergar. Seus olhos servem para duas finalidades: 1) mover-se para ver o que está acontecendo; 2) ativar canais de memória sensorial.

Um exercício de sinais oculares

Está nos olhos

Usando o diagrama da página anterior como guia, marque a posição dos olhos que você esperaria encontrar na resposta a cada pergunta abaixo.

Pergunta	Movimento dos olhos	Sistema
Qual a cor das meias que você está usando?		Lembrança visual
Como você ficaria vestindo uma jaqueta verde?		Conceito visual
Você consegue se lembrar da sonoridade da música "Purple Haze", de Jimi Hendrix?		Lembrança auditiva
Como ela soaria se fosse tocada em uma gaita de foles?		Conceito auditivo
Qual a sensação de se pisar na areia?		Cinestésico
O que você está dizendo para si mesmo neste momento?		Internamente auditivo (falando para si mesmo)

As férias merecidas de Ingrid

Ingrid completará quarenta anos e decidiu se presentear com uma viagem para Portugal com tudo incluso. Ela está caminhando pelo shopping center do bairro quando se depara com uma agência de viagens que não havia notado antes. Lá ela conhece Sheldon, que administra o lugar, e conta a ele seus planos empolgantes.

"Eu apenas sinto que preciso dar uma escapada e, depois de tanto tempo, me presentear com um mimo desse tipo!", Ingrid diz a Sheldon, sentada em uma cadeira oposta à mesa dele. Ela ajeita seu vestido sobre os joelhos e olha à sua direita. "Estou sob tanta pressão no trabalho que realmente preciso relaxar." Suspirando, ela cruza uma perna sobre a outra, inclina-se para a frente e balança um pouco a cabeça. "A tensão no trabalho está acabando comigo."

Sheldon está lívido. Uma venda fácil está bem ali na frente dele. Ele se recosta em sua cadeira, abre os braços e, então, fecha com força as suas mãos e sorri para Ingrid.

"Olha só", ele diz, "tenho aqui as férias dos sonhos pra você". Ele vasculha uma pilha de catálogos sobre a sua mesa: "Encante-se com isto!".

Ele entrega a Ingrid um catálogo colorido com fotografias de palmeiras e do céu azul brilhante, depois continua seu discurso sem esperar pela reação dela:

"Parece fantástico, não? Olhe a cor dessa água turquesa e cristalina! Olhe os casarões lindos com seus tetos vermelhos! E você não consegue ver a si mesma nessa longa faixa de areia branca na praia?" Ele olha para cima e para a direita, imaginando a cena.

Ingrid se recosta na cadeira, com o coração desolado. Por algum motivo, e apesar das lindas fotografias no catálogo e das descrições apaixonadas de Sheldon, Portugal parece mais distante do que nunca.

O que aconteceu?

Você adivinhou. Ingrid compreende o mundo a partir dos seus sentimentos. Observe suas palavras: ela "sente" que quer se dar um "mimo"; ela quer "relaxar" depois da "pressão" e "ten-

são" do escritório. Sua linguagem, seu tom de voz e seus gestos são sinais. Ela olha para baixo em direção a seus sentimentos. O que importa para Ingrid é como ela se sente.

Se Sheldon estivesse atento aos sinais, ele a teria levado a um sentimento de confiança, expectativa e acolhimento: "Ok, Ingrid", ele teria dito. "Eu entendo. Eu sei o que você quer dizer quando fala em pressão, e tenho o lugar certo para você. Eu mesmo já estive lá. A areia é quente e macia e, ah, a sensação daquelas ondas suaves quando elas chegam até você! E as camas nesta hospedagem específica são extremamente confortáveis e agradáveis." Ele teria acessado o mesmo canal ao qual Ingrid se manteve sintonizada nas últimas quatro décadas.

Sheldon deveria ter dado os quatro passos da afinidade planejada para se "conectar" com sua cliente:

1) adotar uma Atitude Realmente Útil para conduzi-la a seu objetivo; 2) sincronizar-se com a linguagem corporal e o tom de voz dela durante a conversa; 3) usar perguntas abertas e ouvir ativamente as suas respostas; e 4) identificar as preferências sensoriais dela durante esse tempo.

Quando você começa a buscar pistas visuais, pode ter a impressão de que os olhos das pessoas se movem aleatoriamente. Mas não se preocupe. Você apenas precisa de um pouco de prática para aprender a ler esses movimentos.

Divirta-se, deixe acontecer naturalmente e, acima de tudo, nunca conte a ninguém o que está fazendo. Isso, com toda a razão, deixaria as pessoas constrangidas. Guarde essas habilidades para você.

O quadro geral

As implicações dos sinais verbais e oculares discutidos neste capítulo são de vital importância para qualquer pessoa que queira se "conectar" com outros seres humanos e estabelecer afinidade planejada. Quando você aprende a reconhecer a qual "tipo" ou "grupo" um novo conhecido pertence, torna-se capaz de se comunicar com ele em uma frequência mais adequada, seja ela Visual, Auditiva ou Cinestésica.

Desta forma, você estará horas – às vezes, anos – à frente de onde estaria se não soubesse como descobrir a preferência sensorial de um indivíduo.

> Desenvolver a habilidade de detectar preferências sensoriais significa prestar muita atenção aos outros – e isso por si só já o torna mais agradável para as pessoas.

Nas páginas a seguir, você encontrará quatro exercícios rápidos por escrito que ajudarão a consolidar o seu aprendizado. Tire uma cópia dessas páginas ou escreva no próprio livro. Complete o que puder sem consultar este capítulo ou o anterior.

Os Auditivos vão querer resolver os exercícios verbalmente e dizer para si mesmos as respostas; os Visuais vão querer imaginar as respostas mentalmente. No entanto, elas devem ser anotadas. Escrever as respostas o obrigará a usar os três sentidos – e essa é a maneira mais rápida de incorporar essas informações à sua memória e às suas habilidades pessoais.

Depois de preencher com o máximo de informações que puder, retorne às páginas anteriores do livro para completar as respostas.

Como eles se diferenciam fisicamente?		
Visual	Auditivo	Cinestésico

Que diferenças há no modo como eles soam?		
Visual	Auditivo	Cinestésico

Que diferenças há no modo como eles se vestem?		
Visual	Auditivo	Cinestésico

Que presentes você compraria para eles?		
Visual	Auditivo	Cinestésico

Os "sinais" anteriores para identificar preferências sensoriais são generalizações, é claro. No entanto, quando várias dessas generalizações apontam para a mesma direção, as chances de você ter descoberto como uma pessoa percebe o mundo primordialmente são muito boas. Esta será a sua ferramenta mais eficaz para estabelecer afinidade e conectar-se com outras pessoas.

10 – Juntando tudo

As pessoas são atraídas umas pelas outras e estão ansiosas para se conectar – para serem amadas.

Comunicadores de sucesso não saem pelo mundo carregados de habilidades e técnicas; eles saem e nem se dão conta do que fazem. É mediante o "desapego" que pessoas, coisas e eventos em sua vida fluem facilmente. Essa é a diferença entre aqueles que lutam e não chegam a lugar nenhum e aqueles que parecem fazer muito pouco e conseguem tudo.

Quanto mais você agir de acordo com o que aprendeu aqui, mais facilmente poderá supor que tem afinidade com outras pessoas. É claro que você deve praticar, mas logo será algo tão natural quanto andar de bicicleta ou nadar – duas habilidades que você também só dominou quando deixou de se preocupar com elas e decidiu tentar.

Este livro é sobre se conectar com o seu maior recurso: as outras pessoas. É sobre estabelecer afinidade com elas – uma ligação instantânea –, conforme vocês se conectam mentalmente. Você já viu que a afinidade é a conexão entre encontrar e se comunicar e que a qualidade e a profundidade da afinidade que você estabelece podem afetar o resultado. A afinidade pode acontecer de forma natural ou planejada.

Vimos o significado da comunicação como uma resposta que você obtém e como, para que sua comunicação alcance o resultado desejado, seguir a fórmula para uma comunicação eficaz pode te levar muito longe – na verdade, não apenas na comunicação, mas em todas as áreas de sua vida em que você deseja obter um resultado positivo.

O modelo básico para cumprimentar alguém que você acabou de conhecer é: Abrir – Olhos – Sorrir – Oi! – Inclinar-se. Você é o primeiro a demonstrar uma linguagem corporal aberta, a fazer contato visual, a dar um sorriso e dizer "Oi", e a inclinação prepara-o para a sincronização. Você pode se lembrar de que, quando aponta seu coração para outra pessoa, transmite sua sinceridade.

Você pode escolher a sua atitude. Uma Atitude Realmente Útil é fundamental para a percepção dos outros sobre você e de como você se sente sobre si mesmo. Você sabe que sua atitude o mantém congruente, ou convincente, de acordo com os três "Vs" da comunicação. Em outras palavras, quando você tem uma Atitude Realmente *Inútil*, como a raiva, você parece raivoso, soa raivoso e usa palavras raivosas, e nada disso é atrativo. Em contrapartida, é fácil fazer as pessoas gostarem de você quando você adota uma Atitude Realmente Útil, digamos, acolhedora, porque você parece acolhedor, soa acolhedor e usa palavras acolhedoras.

Falamos sobre linguagem corporal aberta e linguagem corporal fechada, e vimos como, juntamente às expressões faciais e aos gestos, elas representam mais da metade do que as outras pessoas percebem em nós. É por isso que a linguagem corporal é tão valiosa ao se sincronizar para uma afinidade planejada.

Quando dizemos "eu gosto de você" a alguém, o que realmente queremos dizer é "eu sou como você". Na afinidade planejada, não esperamos para ver se temos coisas em comum; vamos direto para a sincronização usando a linguagem corporal, o tom de voz e as palavras da pessoa que encontramos. Sabemos que, inconscientemente, sincronizamos por toda a nossa vida o *feedback* emocional das pessoas que nos influenciaram – pais, colegas, professores e assim por diante –, portanto, é fácil e natural sincronizar com outras pessoas para que se sintam confortáveis conosco.

Em termos de falar com um novo conhecido, vimos que as perguntas são geradoras de conversação e se enquadram em duas categorias: aberta e fechada. Perguntas abertas fazem as pessoas se abrirem, e esse é o objetivo da conversa. Você sabe que oferecer *feedback* físico e verbal "mantém a bola rolando". A conversa envolve descrever as suas experiências para as outras pessoas, e, quanto mais você fizer isso de modo colorido, quanto mais você puder "falar em cores", melhor elas poderão imaginar e compartilhar suas experiências – e, como consequência, o vínculo e a afinidade que você está criando aumentarão de maneira planejada.

Você aprendeu, para a sua surpresa e deleite, que cada pessoa que você conhece, ou já conheceu, lhe oferece um quebra-cabeça sensorial. Elas preferem se conectar por meio de uma frequência Visual, Auditiva ou Cinestésica? Você começou a desenvolver uma ideia sobre as percepções que elas têm do mundo ao seu redor.

Na verdade, mesmo que você tenha apenas começado a implementar as técnicas deste livro e entendido tudo errado, ainda assim você está acertando! Você está sendo proativo com as pessoas em vez de reativo ou passivo. Não há nenhuma desvantagem; você não pode perder. Se estiver observando cuidadosamente a linguagem corporal e as expressões das pessoas, escutando suas palavras, observando os movimentos dos seus olhos, oferecendo *feedback* e conversando com elas, você estará se comportando de modo proativo, e elas não poderão deixar de gostar de você. Desde que você tenha uma Atitude Realmente Útil.

Por onde eu começo?

Deixe-me reiterar que não estamos falando aqui de uma nova forma de ser, tampouco de uma nova forma de vida. Eu não te dei uma varinha mágica com a qual você pode sair correndo na rua para cutucar as pessoas e elas, então, vão gostar de você. Ofereci, isso sim, ferramentas e técnicas que podem ajudá-lo a estabelecer afinidade rapidamente.

Abordamos as quatro áreas básicas para fazer as pessoas gostarem de você em até 90 segundos: atitude, sincronização, conversação e preferências sensoriais. A melhoria em qualquer uma dessas áreas aumentará sua habilidade de se comunicar de maneira eficaz e rápida com as outras pessoas. À medida que você aprende a incorporar as quatro etapas em seus encontros cara a cara, os efeitos se tornam cada vez mais aparentes.

Você sabe por que se conecta naturalmente com algumas pessoas e não com outras, e, desde que começou a leitura do livro, provavelmente já começou a melhorar seus relacionamentos em casa e no trabalho. Você está abordando as pessoas com mais confiança e sinceridade e aproveitando cada nova experiência. Também percebeu que já possui a maioria das habilidades necessárias para fazer conexões naturais com outras pessoas.

Quanto mais você usa as muitas ferramentas que compartilhamos ao longo do livro – da imagem que você projeta com uma Atitude Realmente Útil até a sinceridade e o carisma que transmite em suas saudações; do conforto e empatia gerados pela sincronização à capacidade de reconhecer em qual sentido uma pessoa mais confia –, mais será capaz de estabelecer afinidade com facilidade e fazer as pessoas gostarem de você em até 90 segundos.

Se eu tivesse que dar prioridade a algum dos quatro aspectos, uma Atitude Realmente Útil seria o destaque, por seu poder de gerar bons sentimentos tanto em você como nos outros. A atitude é contagiante e óbvia, e precede a todos. Sua atitude não apenas direciona seu comportamento, mas também o comportamento de outras pessoas – e transparece em sua linguagem corporal, em seu tom de voz e nas palavras que você usa. Você notará uma melhoria imediata em suas habilidades de afinidade no momento que começar a administrar as suas atitudes. Por outro lado, se não forem administradas adequadamente, suas atitudes se voltarão contra você com a mesma rapidez. Atitudes podem atrair ou afastar.

Em seguida, sem dúvida, está o incrível poder de sincronização. Como você viu, a sincronização faz parte da nossa composição natural e é o que já fazemos inconscientemente com as pessoas de quem gostamos. Quando você conhecer alguém e quiser estabelecer uma afinidade rápida, comece a sincronizar imediatamente. Vai parecer estranho no início, a menos que já tenha feito o exercício de sincronização em grupos de três (veja a página 92) – e, nesse caso, você provavelmente vai se perguntar como conseguiu viver sem ela até hoje. Dois ou três dias são suficientes para se tornar proficiente, até mesmo brilhante, nessa área. Afinal, você tem feito isso a vida toda, de uma forma ou de outra, com as pessoas que são próximas a você.

À medida que suas habilidades de conversação melhoram e você incentiva a outra pessoa a falar bastante, terá mais tempo para fazer observações sobre suas preferências sensoriais. Deixe isso ocorrer naturalmente. Você se lembra da série de livros *Olho mágico*, publicada no início dos anos 1990? Você olhava para uma imagem de aparência estranha e, aos poucos, seus olhos recuperavam o foco e você via uma imagem em 3D. Descobrir as preferências sensoriais se parece com isso. Você olha e busca, fica frustrado e, de repente, volta a focar nas pessoas e elas começam a parecer diferentes à medida que você estabelece uma afinidade elegante e profunda no nível subconsciente, no qual a verdadeira unidade é alcançada. A revelação e a detecção da preferência sensorial de alguém continuarão após seus 90 segundos e lhe darão o veículo para viajar muito mais fundo na afinidade planejada com a nova pessoa – seu mais novo grande recurso.

Então, você está em uma conferência e acabou de conhecer Sylvie Clairoux, a chefe do departamento no qual você gostaria de trabalhar. A conexão é fácil, calorosa, sincera e respeitosa; sua Atitude Realmente Útil e honestidade criaram uma "saudação" perfeita. Embora haja sete pessoas na reunião, você se sincroniza com os movimentos do corpo dela, mas sem estabelecer um contato visual excessivo. O subconsciente dela capta o que está acontecendo. Há chance de contato visual, ela sorri educadamente, você reconhece – BINGO! Você tem praticado diariamente e facilmente percebeu por seu vestido, sua voz, sua escolha de palavras, pelos movimentos dos seus olhos e seu tom de voz que ela provavelmente é Auditiva. Ao falar, você sincroniza o seu tom de voz com o dela e usa palavras auditivas ("Isso soa ótimo!", "Todos na equipe vocalizaram sua opinião"). Como essa estranha pode não gostar de você se você se parece, soa e se move como ela? No intervalo, você a aborda.

"Eu gostaria de ouvir mais sobre a proposta", você começa.

"Nós já nos conhecemos?", a sra. Clairoux pergunta.

"Acho que ela gosta de você!", sussurra uma vozinha em sua cabeça.

Pressupondo afinidade

Enquanto escrevo este livro, pressuponho que gosto de você, leitor. Pressuponho que preciso de você e que você precisa de mim. E mais: pressuponho que estou certo. É o que me dá confiança para continuar escrevendo. Precisamos um do outro; esta é a verdadeira base da nossa afinidade. E aqui estamos, nos conectando.

Podemos aproveitar o poder da imaginação para fazer suposições úteis. Recebemos tantas informações de nossos cinco sentidos que não podemos processar todas elas conscientemente. Em vez disso, nós as classificamos em três lotes separados. O principal lote de informações você *apaga* da sua consciência. Por exemplo, você não estava ciente do seu pé esquerdo até que eu chamei sua atenção para ele; provavelmente, não tem a menor ideia de como suas unhas crescem. O segundo lote você *distorce*; você alimenta sua imaginação com informações e joga com elas, idealizando suas próximas férias, ficando paranoico com a bateria do seu detector de fumaça, esse tipo de coisa. E o terceiro lote é armazenado sob a categoria de *generalizações,* ou suposições. Como você já viu uma frigideira antes, pode deduzir que a grande coisa de metal no fogão do seu vizinho com um cabo longo e panquecas fritando dentro dela é uma frigideira; você não tem que descobrir tudo isso de novo. Seu cérebro é capaz de fazer deduções desse tipo com base em suposições generalizadas.

As melhores suposições são ótimas para o aprendizado, mas suposições equivocadas podem levar a percepções tendenciosas, injustas, limitantes e perigosas. Se sua imaginação tem distorcido informações para assustá-lo e afastá-lo das pessoas, peço a você que compreenda que sua imaginação o está enganando para que você faça suposições negativas sobre as pessoas com base em experiências anteriores. Nesse caso, sua imaginação está comandando o jogo e o placar é: Imaginação 1 × 0 Você.

Mantenha sua imaginação sob controle. Veja como ela é divertida e use-a para chegar a algumas Suposições Realmente Úteis. Aqui estão algumas para começar. Depois de lê-las, feche os olhos e pense em como elas se parecem, como elas soam e que sensação elas passam:

Suponha que haja afinidade e confiança entre você e as outras pessoas.

Suponha/confie que você gostará delas e que elas gostarão de você.

Suponha que o que você fará com outras pessoas – conectando, sincronizando etc. – funcionará.

Suponha que os outros lhe darão o benefício da dúvida e você fará o mesmo por eles.

Suponha que o que você aprendeu com este livro funcionará para você porque funcionou para milhares de outras pessoas.

Suponha que você esteja fazendo a diferença na vida das pessoas que encontra.

Suponha que essa diferença seja para melhor, não apenas em suas vidas, mas também para a sua comunidade como um todo.

Suponha que uma comunidade conectada é um lugar onde encorajamos, enaltecemos e promovemos uns aos outros.

Pessoas que se conectam vivem mais, obtêm cooperação e se sentem seguras e fortes. As pessoas que se conectam evoluem. Juntos, nos erguemos e caímos; juntos, afundamos ou nadamos; juntos, rimos e choramos. E, no final das contas, são as pessoas que tornam os tempos difíceis suportáveis e os bons tempos muito, muito mais doces.

Uma parábola dos dias de hoje

Ultimamente, tenho dado muitas palestras para alunos do ensino médio. Muitos deles procuram um emprego de meio período ou temporário e precisam aprimorar suas habilidades sociais e de busca de emprego. Eu nunca vou me esquecer de um certo aluno que, mal-humorado, interrompeu a minha palestra.

"Ei, cara, eu já fui a muitas entrevistas de emprego e nunca me contrataram", ele reclamou. "Tentei em uma mercearia, uma farmácia, um escritório..."

Outros alunos ao redor começaram a rir. O motivo era bem claro. O jovem vestia calças militares rasgadas e uma camiseta com a palavra "Rancid" estampada na frente (Rancid é o nome de uma banda punk). Sua orelha esquerda tinha furos em três lugares e havia um piercing no nariz também. Além disso, ele ostentava um moicano verde brilhante de quinze centímetros de altura em sua cabeça raspada.

"O que você deseja?", eu perguntei para ele.

"Um emprego, o que você acha?"

"Você já pensou em mudar o que está fazendo para conseguir?"

Ele olhou para mim, os braços cruzados firmemente sobre o peito:

"Mudar o quê?"

"Que tal a sua aparência?", eu perguntei, inclinando-me para a frente.

"De jeito nenhum, cara!", ele praticamente gritou. "Se eles não gostam da minha aparência, isso é discriminação!"

"Olha, eu vejo o que você quer dizer", eu retruquei (ele era Visual). "Mas nós dois sabemos como o mundo funciona. Então, o que você prefere? O emprego ou o corte de cabelo?"

Houve um longo silêncio. Por fim, ele descruzou os braços e virou os olhos para cima. "O emprego, eu acho", ele murmurou. Alguns dos outros alunos riram de maneira amável. Lentamente, ele começou a rir também. E, então, todos rimos. É disso que se trata.

Apêndice
Caderno de exercícios das pequenas coisas que fazem uma grande diferença

As primeiras coisas primeiro

Há uma limitação do que você pode aprender sobre equitação lendo um livro. Mais cedo ou mais tarde, você vai ter que montar em um cavalo. No início, todo aquele balanço pode parecer incômodo e nada natural, mas, antes que você perceba, com um pouco de prática andar a cavalo se torna natural e fácil. A mesma coisa vale para o hábito de se conectar com as pessoas. À primeira vista, pode parecer estranho e constrangedor abordar pessoas que você não conhece, ou que não conhece muito bem, e presumir que haverá uma afinidade entre vocês. Com um pouco de prática, porém, logo se torna uma coisa natural. E assim deve ser. Afinal, você nasceu com tudo de que precisa para se conectar e se comunicar com os outros: um corpo, uma voz, cinco sentidos e o que chamo de "Superpoderes", isto é, entusiasmo, curiosidade, capacidade de processar *feedback*, empatia e imaginação. Na comunicação cara a cara, assim como nos passeios a cavalo, na panificação, na prática de jogos, no desenvolvimento de foguetes, seja no que for, quase sempre são as pequenas coisas que fazem as grandes diferenças.

Você pode estar dizendo a si mesmo: "Tudo bem, eu aceito tudo isso e li o livro. Mas como eu posso praticar as técnicas de fazer as pessoas gostarem de mim?". A resposta vem a seguir:

21 exercícios curtos e simples para ajustar suas habilidades naturais de se conectar com outras pessoas – e não apenas para fazer amizade, mas para ter sucesso na escola, no trabalho, em qualquer lugar. Eles vão até mesmo ajudá-lo a encontrar um relacionamento amoroso, se é isso que você está procurando.

Muitos dos exercícios deste pequeno caderno podem ser realizados em até 90 segundos. Para obter o máximo deles, é importante lembrar a regra principal: não existe fracasso, existe apenas *feedback*.

A chave é processar o *feedback* que você recebe e usá-lo para fazer melhor da próxima vez. Todo o comportamento humano é um ciclo de *feedback*. Tente fazer algo. Se não funcionar, aprenda com a falha, mude sua tática e tente novamente.

Um piloto não decola de Londres, direciona o avião para Miami e deixa por isso mesmo. Ele avalia o trajeto, o clima e o restante do tráfego aéreo, e faz correções ao longo do caminho. Ele processa continuamente o *feedback* e faz ajustes até chegar ao destino desejado. Se não o fizesse, o avião poderia acabar no Oceano Atlântico ou no Deserto do Saara! A mesma coisa se aplica aos exercícios deste caderno. Experimente, veja como funcionam e faça correções até que funcionem para você.

Os exercícios não têm como objetivo torná-lo alguém que você não é. A ideia é que eles o ajudem a usar ao máximo o que você já tem sendo você mesmo. Você nasceu com o que é preciso. Você chegará lá com prática e *feedback*. Você pode fazer isso, não há dúvida.

1. Antes de começar

Se você não estiver realmente comprometido com eles, esses exercícios simples não vão funcionar para você. Então, vamos começar avaliando a sua dedicação, para que possamos potencializar a sua determinação.

Em uma escala de 1 a 10, com 10 sendo o mais forte:

Qual a sua disposição para se engajar com estes exercícios?

1 2 3 4 5 6 7 8 9 10

Quanto você está disposto a arriscar?

1 2 3 4 5 6 7 8 9 10

Quanto você deseja se conectar com novas pessoas?

1 2 3 4 5 6 7 8 9 10

Conte sua pontuação total. Se for inferior a 15, ou você não está muito comprometido ou sua falta de autoconfiança é excessiva. O prefácio deste livro começa com uma citação simples: "O 'segredo' do sucesso não é muito difícil de descobrir. Quanto melhor você se conectar com outras pessoas, melhor será sua qualidade de vida". Não importa sua idade, quando você está aberto e é capaz de se conectar fácil e rapidamente com os outros, vai prosperar. Não tem nada a ver com inteligência, beleza ou talento, mas tudo a ver com seu entusiasmo em obter a cooperação dos outros. Diga a si mesmo que deve fazer esse entusiasmo trabalhar agora, começando com o próximo exercício, e continue até o final.

2. Com quem você quer se conectar?

Imagine sua vida. O que você quer ser em, digamos, um ano? Ouse sonhar um pouco. Junte um monte de revistas (podem ser usadas). Pelo menos algumas devem ser revistas que você normalmente não leria. Recorte fotos, palavras, pedaços de anúncios – qualquer coisa que se relacione com a sua imagem – e reúna-os em uma colagem que crie uma imagem de sua vida como você quer que seja. Crie imagens tão específicas e concretas quanto possível. Você pode escrever ou desenhar sobre a colagem, se quiser. Pendure-a em uma parede ou algum outro lugar onde você possa vê-la diariamente.

O próximo passo ajuda tudo a funcionar muito melhor: explique a um amigo ou parente (ou até mesmo ao seu animal de estimação) o que sua colagem significa. O importante é ouvir a si mesmo descrevendo em voz alta a vida que você quer. Ver e ouvir o seu sonho o tornará mais real em sua mente.

Com a colagem à sua frente, pense sobre as pessoas com quem você precisará se conectar para fazer seu sonho acontecer. Quem são elas? Faça uma lista de pessoas (indivíduos específicos e/ou tipos de pessoa) para cada uma das categorias abaixo:

Colegas

____

____

Amigos ou possíveis amigos

____

____

Membros de uma associação ou clube

____

____

Vizinhos

____

____

Pais de crianças com quem seus filhos brincam

____

____

Amigos ou parentes que não são próximos, mas que você gostaria de conhecer melhor

____

____

Outros

____

____

____

____

3. Seu nível de conforto ao encontrar pessoas

Usando uma escala de 1 a 10, sendo 10 o mais forte, responda às perguntas abaixo no contexto de encontrar alguém novo na escola ou em uma situação social:

	Escola/ trabalho	Situação social
Quão confortável você se sente?		
Quão amigável você está?		
Com que facilidade você estabelece contato visual?		
Quão fácil é, para você, fazer alguém falar com você?		
Com que frequência você se lembra do nome das pessoas?		
Qual a sua facilidade em encontrar interesses comuns?		

Se existe uma diferença no seu nível de conforto no trabalho e nas situações sociais, por que você acha que isso ocorre? Que coisas você poderia fazer para aumentar seu nível de conforto em situações diferentes?

4. Minha Atitude Realmente Útil

As primeiras impressões podem ser duradouras. A primeira impressão que as pessoas têm de você não vem do que você está vestindo ou de como você arrumou o cabelo, mas da sua atitude. Dê uma olhada novamente nas listas de Atitudes Realmente Úteis e Realmente Inúteis na página 56 e, em seguida, responda às seguintes perguntas:

1. Qual é o meu "eu ideal" que eu gostaria que todo mundo visse?

____

____

2. Que tipo de atitudes posso adotar para me apresentar da melhor maneira possível?

____

____

3. De que formas específicas posso transmitir minha(s) melhor(es) atitude(s) ao encontrar as pessoas?

____

____

Durante a próxima semana, fique atento às pessoas que encontrar e que pareçam atraentes para você. Analise o comportamento delas e responda às seguintes perguntas:

1. Qual foi a atitude delas?

____

____

2. O que elas fizeram ou disseram especificamente para que você tivesse essa primeira impressão?

____

____

3. Estar perto dessas pessoas fez com que você se sentisse da mesma maneira?

____

____

Agora, pense em um momento recente no qual você tenha se sentido entusiasmado.

1. O que foi responsável pelo seu entusiasmo?

____

____

2. Você acha que demonstrou seu entusiasmo de tal maneira que as outras pessoas perceberam?

____

____

3. Como você pode relacionar o que sentiu naquele momento a si mesmo e à sua abordagem para terminar todos os exercícios deste livro - na ordem correta.

____

____

4. Como você pode transmitir seu entusiasmo a outras pessoas durante as conversas?

____

____

5. Que atitude ou combinação de atitudes você gostaria de demonstrar ao conhecer alguém novo?

____

____

5. Encontros ao acaso

Considere os seguintes cenários. Usando os detalhes da situação, pense no que você diria. Crie uma ou duas frases coloquiais para cada situação e depois faça uma pergunta aberta. Por exemplo, se você se viu esperando em uma fila enorme em um aeroporto para remarcar o seu voo, que foi cancelado por causa das condições climáticas, você pode dizer às pessoas próximas: "Cara, essa fila é longa!". Em seguida, pergunte: "Você ouviu alguma previsão do tempo recente?" ou "Estou feliz por não ser o atendente que está emitindo as novas passagens – você pode imaginar ter que lidar com tanta gente frustrada?".

1. Está chovendo e, quando você sai da loja, várias pessoas estão esperando sob a marquise que a chuva diminua. Como você, elas não têm guarda-chuvas. Você está perto de alguém e diz:

___

___

2. Você está no trabalho e vai para o *lounge* pegar uma xícara de café. Você observa alguém que não conhece, mas sabe que trabalha em outro departamento. Você se aproxima e diz:

___

___

3. A caminho da aula, você para em uma loja de conveniência para fazer uma boquinha e observa alguém que já viu pelo campus olhando as ofertas de batatinhas. Você diz:

___

___

6. A regra de 3 segundos

Você já perdeu uma oportunidade porque pensou tanto sobre ela que a deixou escapar? Ou já inventou alguma desculpa para não fazer algo e depois se arrependeu? Você já se viu sentada em um café, tomando seu *latte* frio enquanto outras pessoas se divertiam, sem nunca tomar a iniciativa de ir até elas e se apresentar? "Vou só pedir outro *latte*, aí vou até lá e puxo conversa", "Da próxima vez que ele olhar para este lado, vou sorrir para ele". Se você simplesmente ficar por aí desejando, esperando e querendo que algo aconteça, nada ocorrerá. Então, você acaba se sentindo mal porque deixou uma oportunidade escapar ou simplesmente se acovardou. Quanto mais você esperar, mais motivos terá para se culpar por procrastinar.

Às vezes, você só tem que tomar a iniciativa. Quanto mais se pratica, mais fácil fica.

Durante uma semana, aborde três pessoas novas todos os dias e lhes diga algo simples.

Encontre uma pessoa pela qual você nutra interesse, conte até três e, no três, vá e fale com ela. Se hesitar, você perde. Então, concentre-se. Você está criando um novo hábito, com a contagem "um, dois, três" como seu gatilho. Pratique, pratique, pratique – apenas o faça. O pior que pode acontecer é sair com o ego ferido. O melhor é fazer uma nova conexão. Suponha que o melhor virá.

Seu objetivo aqui não é iniciar uma conversa. A finalidade deste exercício é eliminar a hesitação e a autocensura. O importante é que você vá até as pessoas no momento que as avistar. Você conta "um, dois, três" em sua cabeça e parte sem hesitar. Isto o ajudará a criar um novo hábito. Aqui estão alguns exemplos de frases simples que você pode usar para iniciar uma conversa:

"Com licença, qual saída do shopping fica mais próxima da estação de trem?"

"Oi. Você pode me dizer onde consigo uma boa xícara de café por aqui?"

"Desculpe, você pode me dizer as horas?"

Lembre-se de que a primeira ação é tão importante quanto a primeira impressão. Então, pratique, pratique e pratique até que se sinta confortável – e, então, continue a praticar.

7. Eu também – encontrando interesses comuns

No cerne do ato de estabelecer afinidade instantânea está a busca por um interesse comum, e uma das melhores maneiras de encontrá-lo é procurar pelos momentos "Eu também" (veja a página 80). Simplesmente preste atenção ao que está sendo dito e, quando surgir a oportunidade, aproveite e diga isso – contanto que seja verdade. Por exemplo, se alguém disser: "Eu amo o Caribe", você pode simplesmente dizer: "Eu também!". No entanto, não fique apenas repetindo "Eu também". Igualmente use frases como: "Uau, que coincidência", "Não brinca, concordo totalmente" e "Também adoro aquilo lá". E, claro, você pode expandir a conversa fazendo perguntas de acompanhamento, por exemplo, "Qual é a sua ilha favorita?" e "Você pratica mergulho?".

Durante suas próximas três conversas com pessoas que não conhece muito bem (em outras palavras, que não sejam seu melhor amigo ou sua mãe!), faça um esforço para encontrar os momentos "Eu também".

Em cada conversa, qual foi a primeira coisa que você conseguiu encontrar em comum?

Conversa 1 ____

Conversa 2 ______________________________

Conversa 3 ______________________________

1. Você sentiu que esses momentos mudaram o sentimento da conversa?

____

____

2. Você sentiu uma conexão mais forte com a pessoa?

____

____

3. A pessoa reagiu de modo diferente a você?

____

____

4. A conversa fluiu mais facilmente?

____

____

8. Saiba o que você deseja de modo afirmativo

Pegue cada uma das seguintes afirmações e transforme-a de uma visão negativa do que você não quer em uma abordagem positiva do que você quer:

Não saia de casa sem um guarda-chuva. ____________________

____

Não perca o seu trem. ____________________________

____

____

Não seja tímido. ________________________________

____

____

Não se esqueça de amarrar a sua bicicleta. _________________

____

____

Não se esqueça de me ligar. ________________________

____

____

Não se preocupe. _______________________________

____

____

Não deixe as luzes acesas quando sair. ________________

____

____

9. Fazendo contato visual

Quando você encontrar uma pessoa pela primeira vez, é importante ser capaz de olhá-la nos olhos. Este exercício o ajudará a praticar essa habilidade e, espera-se, o colocará na direção certa para estabelecer afinidade.

Na próxima vez que você cumprimentar três novas pessoas ou pessoas que você não conhece bem (por exemplo, um atendente atrás do balcão da *delicatessen* ou uma pessoa que você costuma encontrar no elevador do trabalho), tenha em mente as seguintes perguntas, e então anote as respostas assim que tiver uma chance.

Você foi capaz de estabelecer contato visual com as pessoas?

____

De que cor eram os olhos delas?

____

Você lhes disse olá?

____

Como elas lhe responderam?

____

Você se sentiu capaz de estabelecer afinidade com todas elas?

Você perguntou o nome das pessoas? Como elas se chamavam?

---

10. Ótimo, ótimo, ótimo

Nem todos têm um sorriso fácil e natural, então aqui vai um truque simples que as modelos usam. Elas ficam repetindo a palavra "ótimo" – depois de alguns segundos, isso faz os seus olhos sorrirem.

Olhe-se no espelho e diga "ótimo" sem parar, cada vez usando um tom de voz diferente e maluco, até que você comece a rir. Fale alto, sussurre, diga a palavra com uma voz descontraída, depois com uma voz sensual. Isso não só o fará sorrir, como também sentir-se bem. É simplesmente uma palavra muito positiva, que também tem aquela sílaba "ti" no meio, que exige que você mostre os dentes superiores em uma espécie de sorriso durante o processo.

Por um dia, toda vez que você encontrar alguém, sorria. Se tiver problemas para conseguir, diga "ótimo" para si mesmo três vezes antes de abordar a pessoa. Você sorrirá quando chegar até ela.

11. De coração para coração

Pelos próximos dias, observe a linguagem corporal das pessoas e veja como isso o afeta. Faça o melhor para manter a sua própria linguagem corporal aberta e relaxada. Quando encontrar alguém novo, aponte seu coração de maneira amigável ao coração da pessoa. Em vez de cruzar os braços sobre o peito, mantenha seu coração aberto, sinalizando que você não tem más intenções.

Pratique abrir e fechar sua linguagem corporal quando estiver falando com alguém e note a diferença em sua atitude e na reação da pessoa. Adote o hábito de usar a linguagem corporal aberta quando estiver em busca da cooperação dos outros.

12. Sincronizando

Na próxima vez que estiver falando com alguém, sincronize sua linguagem corporal à da pessoa por 30 segundos (para se lembrar da sincronização, veja a página 81). Faça uma pausa de 30 segundos e sincronize novamente. Você notou alguma diferença entre o período sincronizado e o não sincronizado? A pessoa reagiu de maneira positiva quando vocês estavam sincronizados?

13. De fechada para aberta

Leia as seguintes perguntas fechadas e, então, modifique os enunciados de modo que se tornem perguntas abertas – isto é, perguntas que comecem com "quem", "por que", "o que", "quando", "onde" ou "como".

1. Você pensou sobre as minhas sugestões?

____

____

2. Você está interessado na promoção "compre um, leve outro" que temos no momento?

____

____

3. Você gostaria de sair para jantar algum dia?

____

____

4. Você já fez o curso de finanças?

____

____

5. Você pensou sobre como vai se vender na entrevista?

____

____

Às vezes, fazer uma pergunta fechada é inevitável. A chave nessa situação é segui-la rapidamente por uma pergunta aberta. Por exemplo, se você perguntar: "Você mora no bairro?" e a pessoa responder que "sim", você deve continuar a conversa com uma pergunta aberta, como: "Do que você mais gosta nele?".

Escreva uma pergunta aberta que você poderia usar para dar seguimento a cada uma das perguntas fechadas a seguir:

1. Esta é a plataforma certa do trem das 7h15 para a cidade?

____

____

2. Posso te ajudar a encontrar algo?

____

____

3. Você já se registrou como voluntário?

____

____

14. Iniciando a conversa

As perguntas que começam com: "Você está", "Você fez" e "Você tem" normalmente obtêm uma resposta do tipo "sim" ou "não" e não incentivam o diálogo.

Porém, perguntas que começam com "Quem", "O que", "Por que", "Onde", "Quando" ou "Como" tendem a abrir as pessoas e a fazê-las falar. Crie três perguntas abertas que você poderia fazer a pessoas novas em cada uma das situações a seguir:

Antes de um encontro.

____

____

____

Em uma festa.

____

____

____

Esperando pelo ônibus ou trem.

____

____

____

Em uma fila para o cinema.

____

____

____

A melhor pergunta aberta não é sequer uma pergunta. Tente iniciar uma conversa com “Conte-me sobre...”.

15. Tornando-se memorável

De que adianta conhecer alguém pela primeira vez, criar uma impressão favorável e estabelecer uma afinidade se duas semanas depois a outra pessoa já se esqueceu de você?

1. Das pessoas que você conheceu, relacione três que possuíam uma "marca registrada" e descreva as qualidades que as tornavam memoráveis.

____

____

____

2. Que singularidade você possui que faz com que seus amigos comentem sobre você? (Você tem um corte de cabelo diferente, usa roupas de cores berrantes, possui uma bela voz? Você é baixo ou alto?)

____

____

____

3. Qual é seu estilo exclusivo ou a persona que você imagina para si mesmo?

____

____

____

4. Que aspecto próprio você poderia destacar para criar uma "marca registrada"?

____

____

____

5. Há algo diferente que você poderia adotar para transformar em sua marca (por exemplo, usar uma echarpe bem colorida ao redor do pescoço ou óculos de sol estilosos)?

___

___

___

6. Que passos reais você precisa dar para alcançar essa persona ou estilo memoráveis?

___

___

___

16. Preferências sensoriais

Todo mundo tem um sentido principal que usa para perceber o mundo. Há pessoas que reagem ao mundo e tomam decisões com base principalmente na aparência das coisas (Visual), mas algumas o fazem com base em como as coisas soam (Auditiva) e outras, com base na sensação física que as coisas proporcionam ou em como elas a fazem sentir-se depois de terem contato físico com elas (Cinestésica). Imagine ser capaz de saber em qual sentido alguém confia mais. Quando você descobre isso, pode apelar para esse sentido em detrimento de todos os outros. A outra pessoa não vai perceber, mas se sentirá atraída a você.

As pessoas Visuais, Auditivas e Cinestésicas são bem diferentes umas das outras. Elas pensam de formas diferentes. Elas querem coisas diferentes, têm desejos e motivação diferentes; elas falam e se vestem de maneira diferente.

Quando você conseguir descobrir a preferência sensorial das pessoas na sua vida, poderá se comunicar com elas em um nível muito mais profundo.

Para praticar a identificação dos tipos de pessoas Visuais, Auditivas e Cinestésicas, leia cada frase e preencha o espaço à direita com o tipo de pessoa que a diria.

Todos temos pontos de vista diferentes.	
Você pode compreender o básico?	
Isso soa como uma ótima ideia.	
Mostre-me como você fez.	
Eu te ouço muito bem.	
Eu vejo o que você está dizendo.	
Estamos contra a parede.	
Você pode lançar alguma luz sobre esse problema?	
Este nome não me soa estranho.	
Eu não consigo pensar em nada de concreto.	
Você está ligado no que ela está dizendo?	
Vamos explorar um pouco mais a fundo.	

17. Identificação sensorial

Pense em três pessoas que você conheça bem — por exemplo, seu melhor amigo, seu parceiro, um colega de trabalho — e insira seus nomes nos espaços abaixo. Tente se lembrar de discussões que teve com elas e veja se pode determinar qual é a abordagem dominante em cada uma delas.

	Pessoa 1	Pessoa 2	Pessoa 3
Nome			
Palavras ou frases favoritas			
Ritmo da fala			
A maneira como se veste			
A direção de seu olhar quando está pensando			
Ela vê a situação como um todo ou foca nos detalhes?			
Ela gosta de muito estímulo auditivo ou de quietude?			
Você acha que é Visual, Auditiva ou Cinestésica?			

18. Falando sobre sentidos

Feche os olhos. Imagine que está em um aeroporto movimentado e que tem uma hora para gastar antes do voo. Usando a tabela a seguir, anote todas as coisas que você pode ver, ouvir, tocar, saborear e cheirar.

Quando a lista estiver pronta, separe 30 segundos para descrever para si mesmo, nos mínimos detalhes, o que você vê. Então, pegue outros 30 segundos para fazer a mesma coisa para o que ouve, sente, cheira e saboreia.

Qual desses sentidos veio mais facilmente e qual foi o mais difícil?

Quando você consegue descobrir o sentido principal das pessoas que conhece e com as quais se encontra, pode se comunicar com elas de forma mais eficaz na própria frequência de cada uma delas. Se elas pensam em imagens, fale com elas em imagens, ou pelo menos fale sobre como as coisas se parecem. Se elas preferem sons, diga-lhes como as coisas soam; se elas estão preocupadas com as sensações físicas, fale sobre as sensações que causam ao toque.

Para ver isso em ação, volte e releia a história das "Férias merecidas de Ingrid" na página 154.

Vê	Ouve	Sente	Saboreia	Cheira

Vê	Ouve	Sente	Saboreia	Cheira

19. Apele aos sentidos

Para praticar como falar com diferentes tipos de pessoa, descreva cada um dos itens abaixo usando palavras Visuais, depois Auditivas e, por fim, Cinestésicas. (Se você precisar de ajuda, veja as listas de palavras nas páginas 143-147.)

Sua casa dos sonhos.

____

____

____

Suas férias dos sonhos.

____

____

____

Sua refeição favorita.

____

____

____

20. Falando em cores

Conversar normalmente envolve descrever suas experiências para os outros. Quanto mais sentidos você envolver nas suas descrições, mais interessante as pessoas te acharão – e melhor se lembrarão de você e do que você disser.

Este exercício funciona melhor com um parceiro que possa responder a você. Se não houver ninguém para fazer o exercício contigo, anote as suas respostas.

Descrevendo visões, sons, sensações, cheiros e sabores.

Fale sobre como é a paciência.

____

____

Fale sobre seu pertence mais estimado.

____

____

Fale sobre o inverno.

____

____

Fale sobre alguma das promessas que você continua a fazer a si mesmo.

____

____

Fale sobre as coisas que você faz para se entreter.

____

____

O ponto deste exercício é parar de falar em fatos e números porque eles se dissipam logo e são maçantes. As imagens mentais valem mais que mil palavras; elas ativam emoções e grudam na mente.

21. Juntando tudo — o plano de ação para se envolver

Parece óbvio, mas você tem que sair e encontrar as pessoas antes que possa entabular uma amizade com elas. Você não fará amizade com todas, mas, quanto mais participar de atividades e mais lugares visitar, mais novos amigos e conhecidos terá.

Há várias maneiras de associar-se aos lugares onde as pessoas se reúnem. Este esquema o ajudará a descobrir um plano de ataque para se envolver e socializar.

1. De qual tipo de grupo você tem mais interesse em participar?
   Esportes (ligas esportivas/ioga/academia/*snowboard*)
   Interesses culturais (música/livros/filmes)
   Voluntariado
   Aulas (culinária/idiomas/artesanato/soldagem/ioga/cerâmicas)
   Organizações religiosas

2. Há algo que você sempre quis fazer? Voar de balão, dirigir um táxi, aprender a dançar flamenco, ser toureiro, praticar nado sincronizado, construir uma casa na árvore. Escreva algo que você realmente gostaria de tentar.

   ____

   ____

3. Qual é o primeiro passo para atingir esse objetivo? Pode-se buscá-lo on-line ou na lista telefônica e fazer uma ligação? Ou é melhor perguntar a um amigo ou alguma organização local?

   ____

   ____

4. Obrigue-se a dar o primeiro passo e o resto será mais fácil.

   ____

   ____

Um pensamento final: Não há rejeição, apenas seleção

À medida que você sai e começa a conhecer novas pessoas, uma última coisa que pode fazer uma grande diferença para pior – se você permitir – é a forma como você lida com a rejeição. Sofri minha dose de rejeição quando estava crescendo e aprendi da maneira mais difícil que existem essencialmente três coisas que podemos fazer com ela: podemos ignorá-la, podemos deixar que ela nos atinja e cause estragos em nossa autoconfiança ou podemos aceitá-la.

O que você vai fazer quando for rejeitado? Vai acontecer algum dia; faz parte da vida. Lidar com a rejeição requer um ajuste imediato de atitude. Se uma pessoa não retribui o seu interesse, isso não é razão para desistir e ficar deprimido, mas um chamado para seguir em frente! Se você estivesse colhendo maçãs e se deparasse com uma árvore sem maçãs nos galhos, levaria isso para o lado pessoal e se sentiria magoado, com pena de si mesmo? É claro que não! Você só veria que não há nada lá para você e seguiria para a próxima árvore. Se você sentir pena de si mesmo, perdeu o foco em seu objetivo.

A maioria das pessoas lhe dirá que não está interessada em amizade de uma forma diplomática, mas é provável que você encontre pessoas rudes e desagradáveis pelo caminho também. Quando isso ocorrer, peça licença educadamente e agradeça por ter descoberto relativamente rápido que tipo de pessoa eram aquelas, antes de investir mais de seu tempo e emoções no "relacionamento". Idealmente, o processo de rejeição/seleção seria indolor, mas você provavelmente terá seus sentimentos feridos algumas vezes. É da natureza humana sentir-se mal em situações como essa, mas não se deixe abater. Em vez disso, você deve acolher a rejeição/seleção como parte da exploração, da jornada, da aventura.

Entender o princípio de que não há rejeição, apenas seleção, significa que, se você está conversando com alguém e as coisas não estão batendo, não é culpa de ninguém. Não tem nada a ver com você como indivíduo. Significa apenas que vocês não têm muito em comum ou não são psicologicamente compatíveis. Portanto, aproveite o seu tempo junto a essa pessoa, seja você mesmo, mantenha-se educado e cortês. No final, diga "obrigado", "até logo" e siga em frente. E lembre-se: você mesmo pode acabar sendo a parte que rejeita a outra (educada e diplomaticamente também, é claro). Você não tem que tentar ser amigo por toda a vida de todo mundo que encontrar.

Por fim, meu desejo para você é simples. Se você está lendo este livro, uma de suas prioridades é se conectar com as pessoas. Não ignore essa parte importante da sua vida! Você tem que ter tempo. Separe pelo menos 15 minutos por dia para sair e praticar, praticar e praticar os exercícios aqui contidos. Claro, você pode achar difícil no começo, mas continue. Tente uma ou duas vezes ao dia até que se tornem naturais. Desligue a TV, o computador, o videogame, deixe o trabalho de lado e dedique seu tempo pelas próximas três semanas a fazer todos os exercícios. Ninguém, exceto você, deve saber que você está fazendo esses exercícios. Não se esforce demais, seja você mesmo e mantenha esta frase na ponta da língua: "Não existe fracasso; existe apenas *feedback*".

Tipografia: Adobe Garamond Pro e ElectraLH